陽光妖怪
ようきなやつら

岡田索雲

目 次

『東京鎌鼬』

睡了嗎？

我回來了。

我抓老鼠回來囉。
我自己抓了，吃過了。
妳果然醒著嘛。
別那樣啦，讓我睡。
我馬上完事。
哎唷！

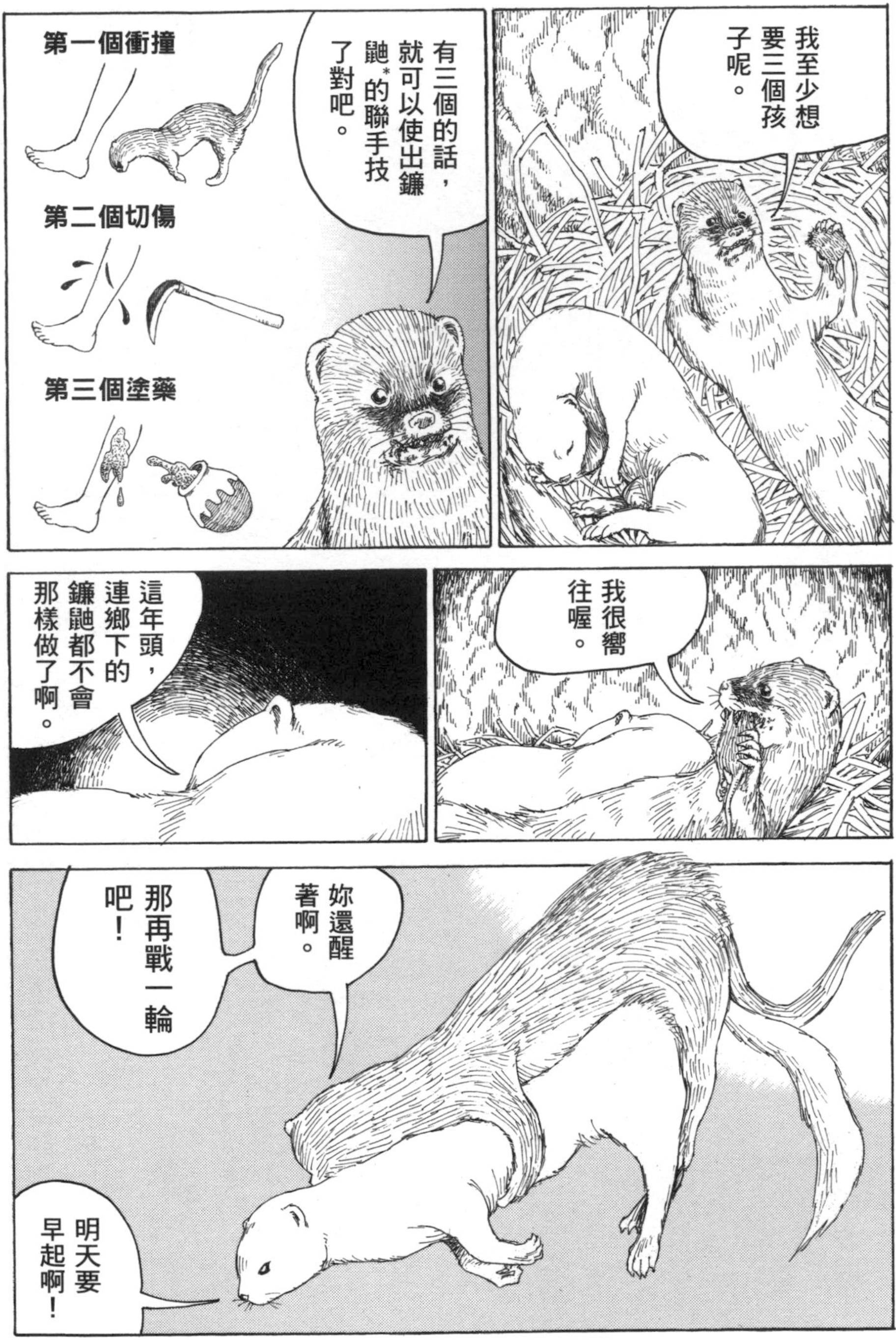

*日本傳說中的妖怪，以旋風姿態出現，並以鐮刀般的銳爪襲擊人。

這個我留在這，當明天早餐吧。

我們這麼相愛，
為什麼就是生不出孩子呢……

到底出了什麼差錯……

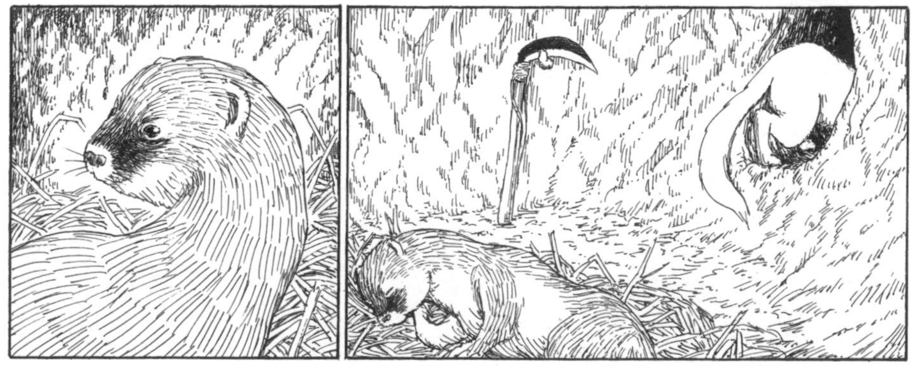

箭鴨先生，
你在這一帶
有沒有看到我
太太呀？

有啊，
我看到你太太鑽進那根排水管了。

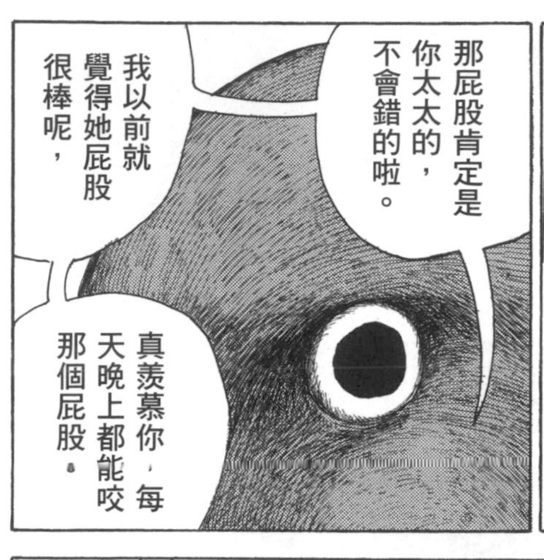
那屁股肯定是你太太的，不會錯的啦。
我以前就覺得她屁股很棒呢，
真羨慕你，每天晚上都能咬那個屁股。

謝啦，箭鴨先生，
不過，
聽別人對自己的太太開黃腔，我不太舒服呢。
喂喂喂，我是在稱讚她呀，
卻要被你那樣嫌，
我也很傻眼啊。

那這給妳，
跟之前的
一樣。
不好意思，
一再麻煩您。

老公！

妳……
在這種地方
做什麼？
你跟蹤我
來的嗎？

那是
什麼？
這是……
呃……

給我！

什麼？
這什麼藥？

喂，
大叔，
這是什
麼藥？
老公，
冷靜下來。
我們來
談一談吧。

吵死了！
啊……！

快說！
這是什麼藥！

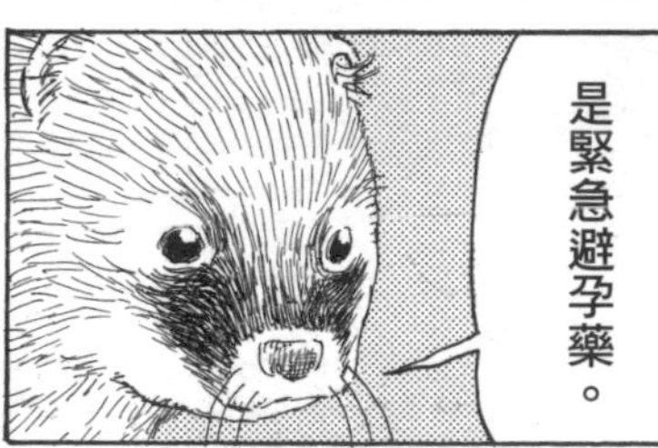
是緊急避孕藥。
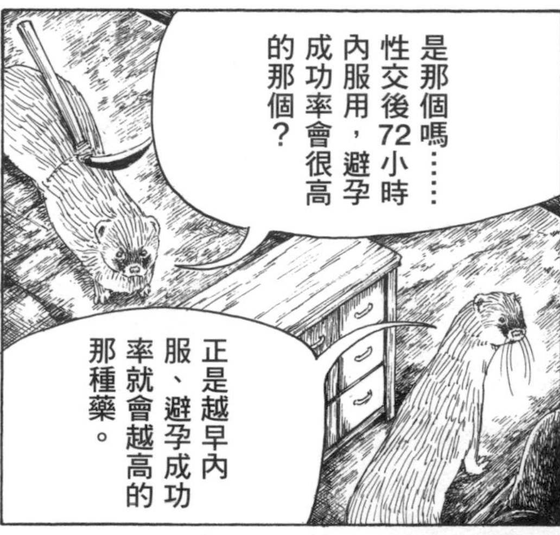
是那個嗎……性交後72小時內服用，避孕成功率會很高的那個？
正是越早內服、避孕成功率就會越高的那種藥。

你是說事後藥……
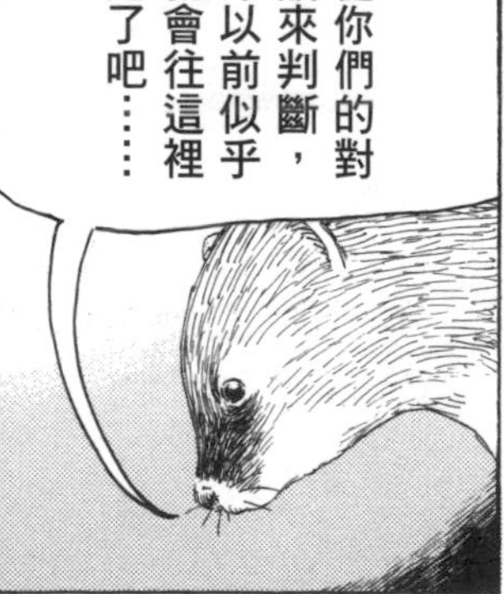
從你們的對話來判斷，妳以前似乎就會往這裡跑了吧……

為什麼妳要吃這種東西……

對了！
是別人托妳的吧。
有其他人需要這個，
妳才幫她買藥。
對吧？

不，
我買藥是為了自己吃。

妳不想和我生下小孩嗎……？
不，
並不是不想生。

那妳怎麼會需要這種東西呢！
等等啊……
我已經一頭霧水了啦！

我們過去所有的努力都因此泡湯了……太過分了啊……
我內心一直很不安，覺得原因搞不好出在我身上，結果……
呼……呼……
妳太狠毒了吧……
呼……呼……
對不起，老公。
你別太激動，好好說話……

不要！
老公，快停啊！

妳想要小孩的話就不會在意吧！
有別人在啊！

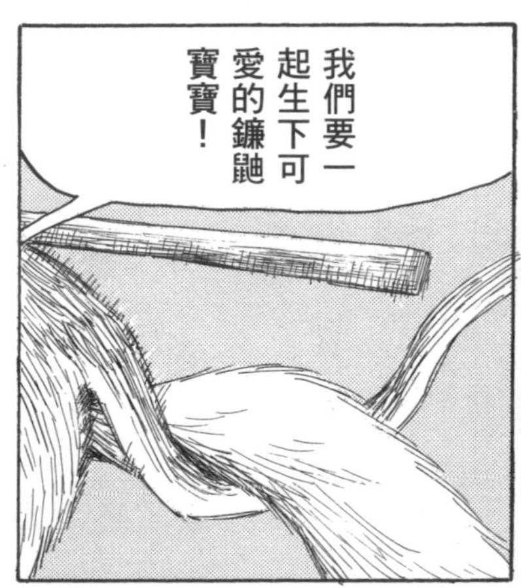
我們要一起生下可愛的鐮鼬寶寶！

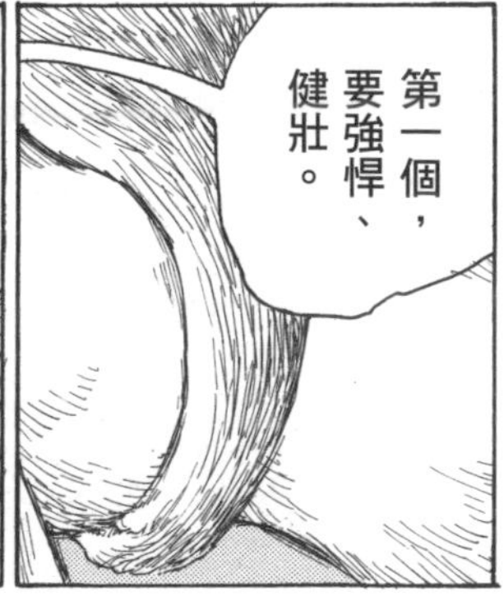
第一個，要強悍、健壯。

第二個，要銳利、柔美。

第三個，要溫柔、有奉獻精神。

你不是鐮鼬!

只是拿著鐮刀的普通鼬鼠啊!

哇啊啊……

我那麼愛你,沒在管鼬鼠和鐮鼬之別,

但你只看我鐮鼬的這一面吧!

……不過，那也沒關係……
我是先知道你的想法，才和你在一起的……

我憂慮的點是，你搞不好會用同樣的方式看待孩子啊。

你想想嘛，
你和我生出來的孩子不一定會是鎌鼬啊，對不對？
嗯……

你要是對鼬鼠和鎌鼬付出不同的父愛，
對孩子而言，那就是最大的不幸了呀……

窩鋪灰。
你說「我不會」？

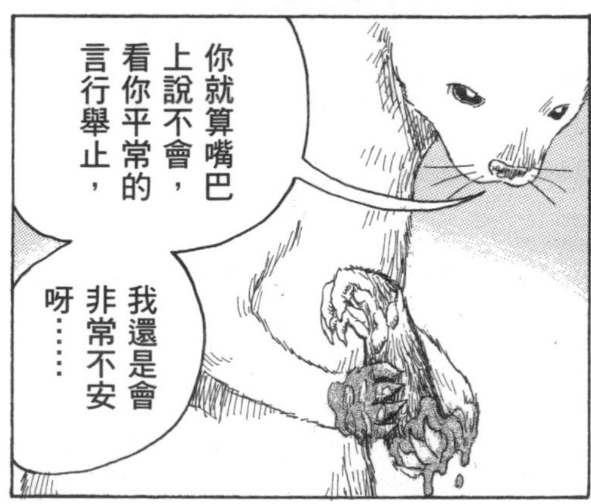
你就算嘴巴上說不會，看你平常的言行舉止，
我還是會非常不安呀……

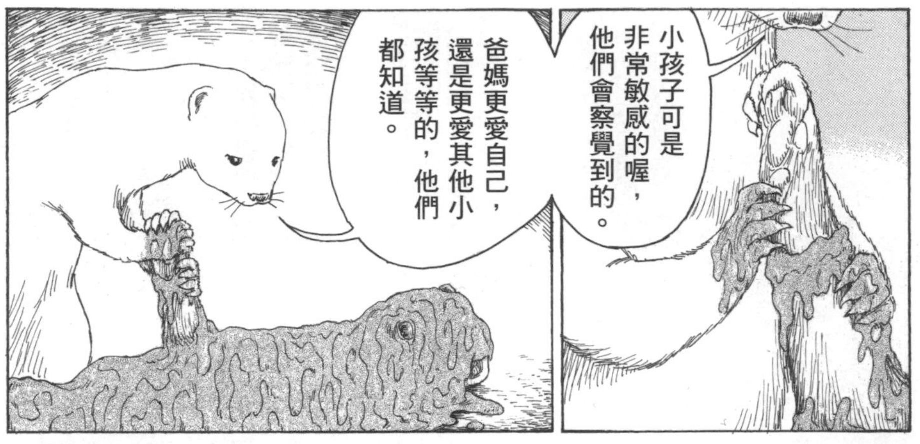
小孩子可是非常敏感的喔，他們會察覺到的。
爸媽更愛自己，還是更愛其他小孩等等的，他們都知道。

老公，請你對鼬鼠這個身份更自豪一點，
不然我不敢跟你生小孩……

唔……
嗚咕……

哎……
早點跟你把話攤開來講的話，事情就不用演變成這樣了……
我也在反省了……

來，回家吧。
老公，抓住我。
窩資機占得七賴。

你自己站得起來呀。
真厲害呀，老公。

我丈夫已經不需要這把鐮刀了。

對吧？老公。
窩要——
你還要啊？

驚擾您了。

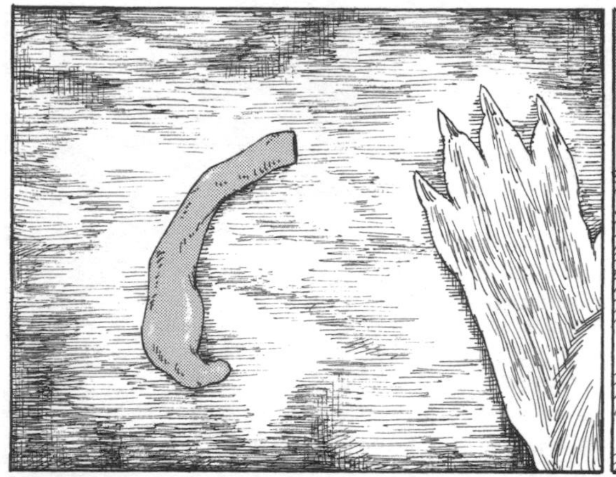

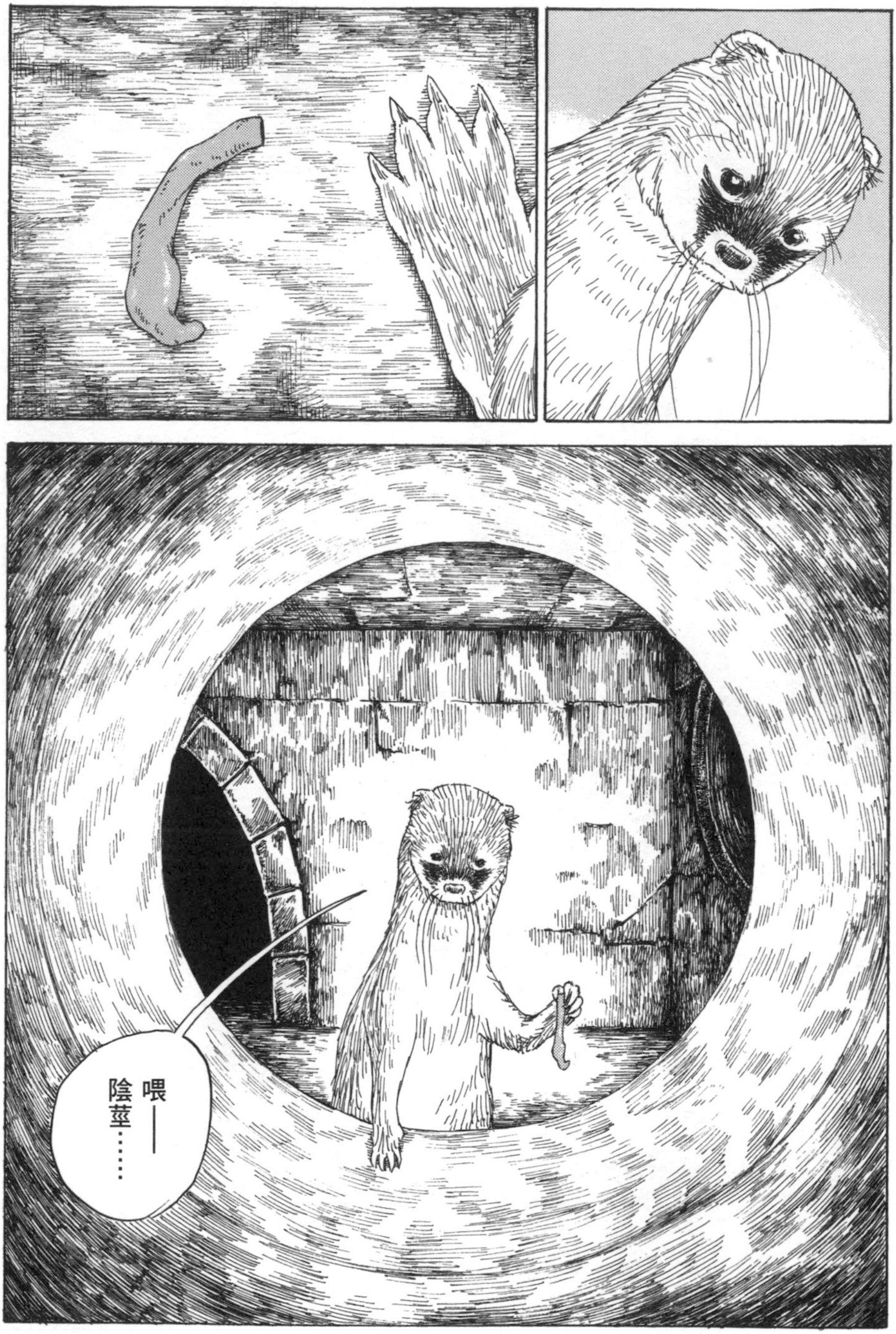

喂——
陰莖……

忍耐吧小覺同學

ミーンミーン

唧—唧

欸欸，老師有女朋友嗎～～～？

這種事不能隨便問別人喔。

啪
合……

キャッ
呀呀
キャッ
キャッ

抱歉，讓你
久等了……

謝謝你放學後
特地留下來。
嘎嘎

嘎嗒……
小覺同學。

我認為這時間最
適合慢慢聊，
所以才……

要……要聊什麼……？

唧
暑假快到了呢……
唧
唧
唧
唧

這有可能只是我觀察得不夠頻繁，不過──

一整個學期以來，
我從來沒看過小覺同學和其他學生交談呢……

就、就、就算是，那、那又怎樣……
我愛怎樣都行吧……

小覺同學並不像是發自內心想要獨處……

如果你是真心這麼想，那就沒關係……
但在我看來——

……

老、老師……才、才不會知道……
別、別人……心底在想什麼咧……

小覺同學現在有沒有什麼煩惱呢？
沒……沒有啊……

我當老師10幾年了，
還以為自己變得稍微能夠了解學生內心了呢……

但看來是我太自滿了。
我的修行還差得遠呢……
這次我找你聊這件事，可能太突然了吧……
小覺同學也有小覺同學自己的步調……
ガタ
喀答…
抱歉佔用了你的時間。
我不會再多管閒事，
不會再硬要你打開心房了。
不過，
你啊，
哪天要是主動出聲的話……
我一定會全力幫助你。

請、請等
一下……！

嘎嘎
我、我現
在要說的
事……
不、不
可以告訴
別人……
你可以向我
保證嗎？

嘰……

我向你保證。
我不會
告訴任何人。

……
我……
我、
我……

我……只要看別人的眼睛……
就會聽見他們的心聲……！

所、所以我很害怕……沒辦法好好和別人說話……
國小……和國中……越來越抗拒上學……
高中……我想設法努力看看……但還是覺得……
很恐怖……

……
這、這種事，你不會相信吧……？

我說過「我一定會全力幫助你」，

所以我相信你，繼續談下去吧。
你說聽見心聲，
應該是會聽到很多過分的話語吧？
沒那回事……
不過壞話只要聽到一點點，就會難過了。
的確呢。
有沒有人直接罵你，
或直接欺負你等等的呢？
也沒有……那種狀況……
但總覺得大家心底……都很討厭我……
……
我——

一直都認為
自己是內心很
狹隘的人。

我無論如何，
都無法欣賞思
想、信念和我
不同的人……
……？
雖說如此，
我還是會留意
一件事。
那就是，不管面
對多麼討厭的人，
都不流露出厭惡之
情。

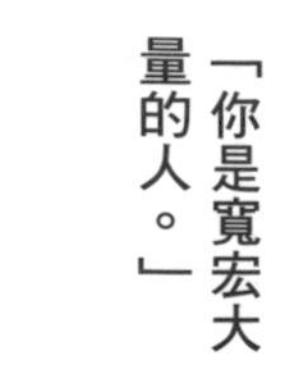

我把這件事說給
當時的老師聽，
結果他說：
「你是寬宏大
量的人。」

？
我想表達的
意思就是呢。
？
內心感到厭惡也
不會流露出來，
可以心平氣和
對待你的人——

就是「可以
和你對話的
人」。

對方有和你對話的心理準備，還是沒有呢？
你要不要試著用這當作判斷基準，往前邁進一步看看呢？

意、意思是，要我無視那些心聲嗎……？
不是無視，是容許。

人對未知的事物容易抱持否定的感情。
一開始覺得不對盤的人，往後卻成為摯友。這種情況也是存在的。
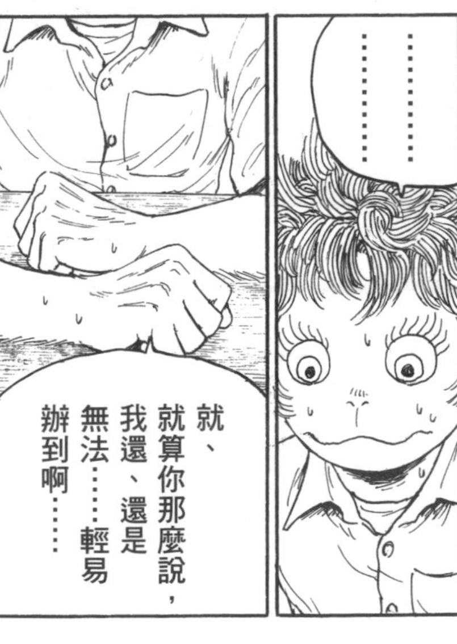
…………
就、就算你那麼說，我還、還是無法……輕易辦到啊……

要不要先拿我來練習看看？
！

我平常以禮待人，
但我也會有一些絕對不會說出口的憤恨不平。
我想這樣正適合當練習臺吧。
可……可是……
老師想要隱瞞的丟臉的事情，可能也會被我發現啊……！
那會讓我有點緊張……
不過如果能幫上你的忙，我願意出一份力喔。
……
真……真的可以嗎……？
噗通
ドッ
ドッ
噗通
ドッ
我一直，
在等你看我的眼睛。

我……
我還是……
很怕……

小覺同學。

不管發生什麼事，
我都會站在你這一邊。

バッ
睜

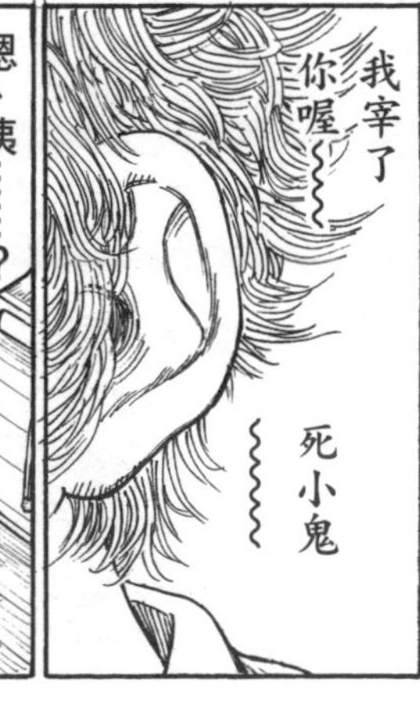
我宰了你喔~~~
死小鬼~~~

嗯、咦……？剛剛……是不是有怪聲從外面……傳進來？
我什麼也沒聽見喔。

咦……？也就是說……

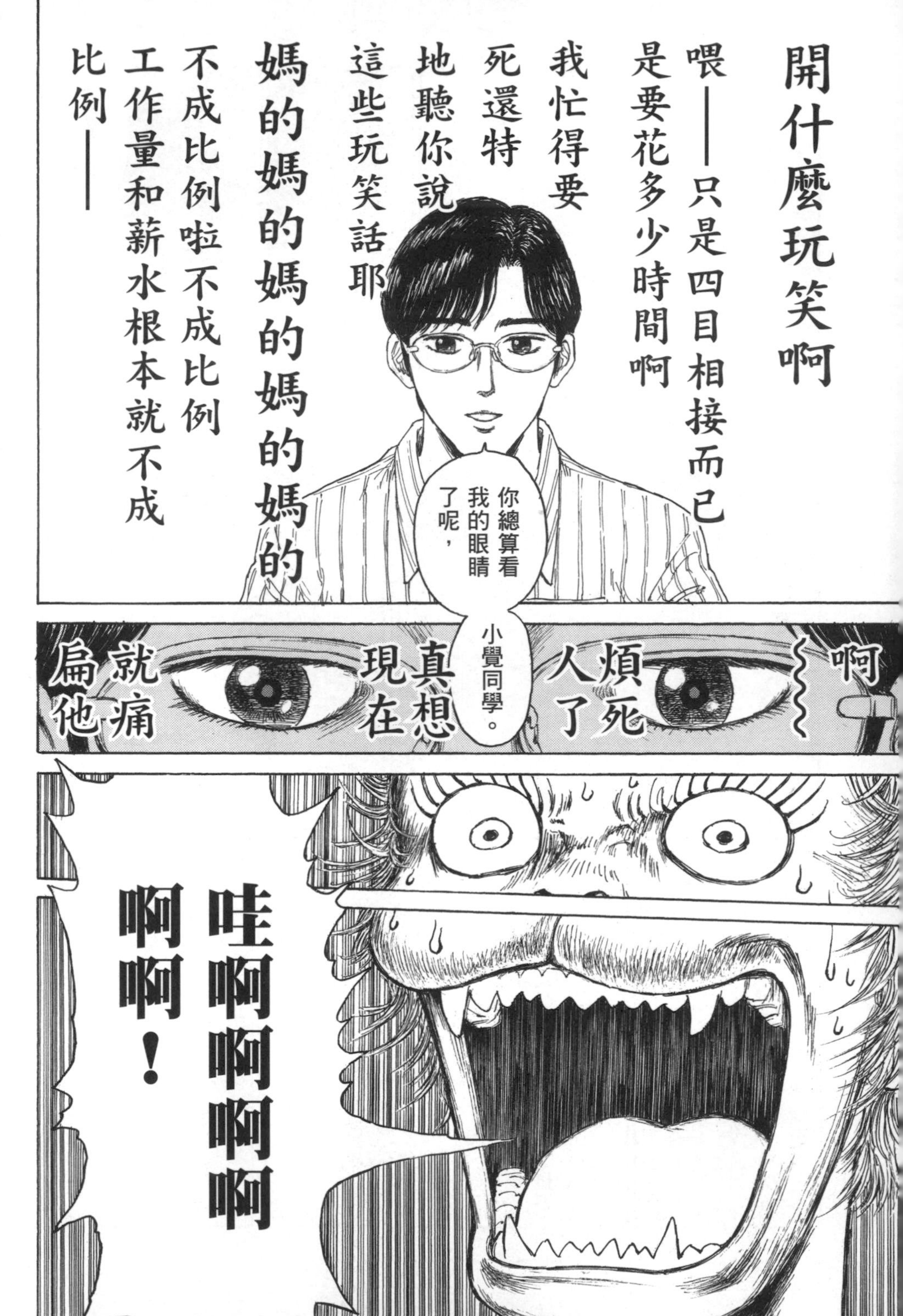
開什麼玩笑啊
喂——只是四目相接而已
是要花多少時間啊
我忙得要死還特地聽你說這些玩笑話耶
媽的媽的媽的媽的媽的
不成比例啦不成比例
工作量和薪水根本就不成比例——
你總算看我的眼睛了呢，
小覺同學。
啊～～～煩死人了
真想現在就痛扁他
哇啊啊啊啊啊啊！

ガタンッ
喀答
怎麼啦？
小覺同學……

你沒事吧……？
不要
突然
大叫啦
混帳東西
討拍也要適可而止啊
我看我直接賞你喉嚨
一記腳尖踢吧

小覺同學……
別過來！
別過來!!

你聽到了什麼聲音呢？
我到底要為了你的被害妄想耗到什麼時候啊媽的咧

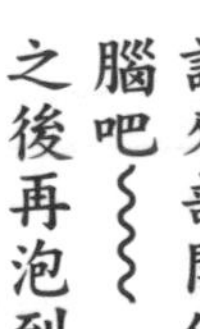
賞、賞我喉嚨腳尖踢……
不、不是被害妄想……！
老、老、老師心中……就只有敵意啊!!

……我並沒有敵意。
我不是說了嗎？我站在你這一邊啊。
喂喂喂真的假的!!
他真的聽得到我的心聲耶!!
太噁了吧〰
這是什麼原理啊!?
誰來剖開他的頭調查一下大腦吧〰
之後再泡到福馬林裡面

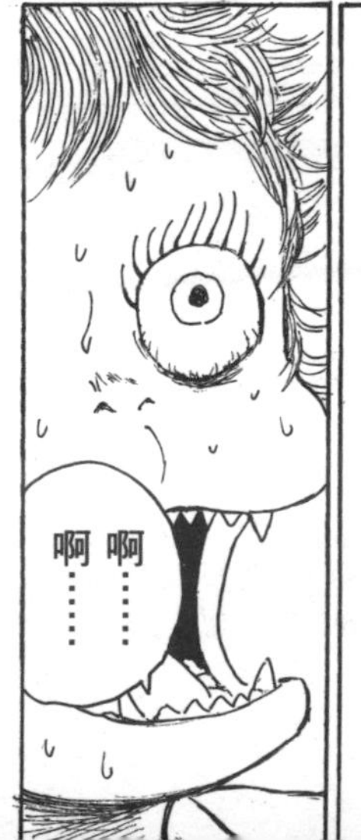
啊……
啊……

既然穿幫了，那就沒辦法啦〰〰唉，對啦，我根本就不在乎你啦。回家打手槍還比較重要。

女高中生的身體雖然成長了，但內心還是小鬼，不懂防備的人多的是，我一天起碼看得到一次小褲褲喔。這學校的女生只有穿裙子的選項，真是讚到爆呀。

才不是些許……才不是些許……

我從來沒有聽過這麼邪惡的心聲……

老師……不對，

你才不是什麼老師……

你是披著老師皮的

低等混蛋!!

這下我大受打擊呀……我的內心也是會受傷的喔……
那麼，我在此拿出教師風範問你一個問題吧～～～
學校為什麼要用沒道理的校規束縛你們、不讓你們做選擇呢～～～？

儘管如此，我還是不會放棄和你對話……
答案是想要自爽呀～～～
因為訂定規則的人像我一樣想要自爽啊～～～自爽的那一方，
為了自爽才爽爽爽爽爽翻天地
制定出規則呀～～～呵呵～～～

真該說偉哉偉哉自爽
自爽呀～～～

別……
別再說啦——

……

我知道了……今天就到此為止吧……

需要幫助時，
請你再來找我。
我一定會為你保密的。

我要用上所有女學生來打槍。
!?

!
?

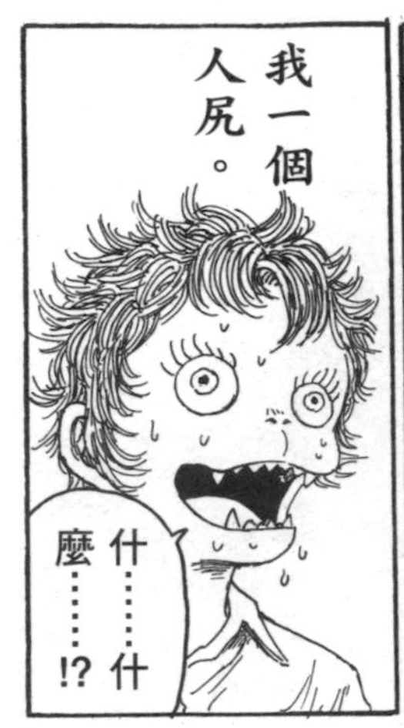
我一個人尻。
什……什麼……!?

她們全是配菜……一年級生……二年級生……三年級生……畢業生……我全部都要當成配菜，一個都不放過。
那傢伙已經不在這裡了……為什麼我還聽得到他的心聲啊……!?

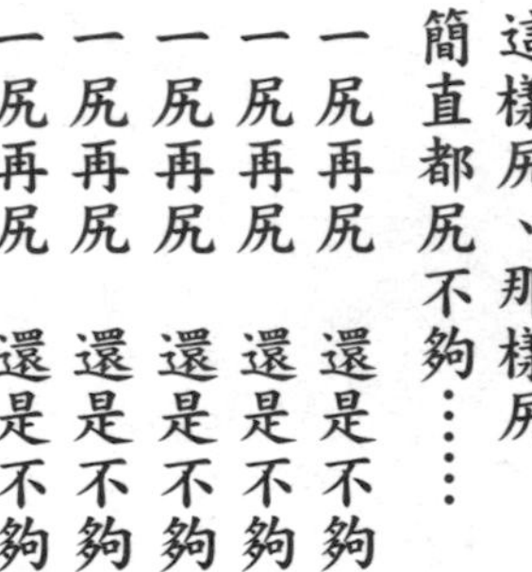
這樣尻、那樣尻簡直都尻不夠……
一尻再尻 還是不夠
一尻再尻 還是不夠
一尻再尻 還是不夠
一尻再尻 還是不夠
一尻再尻 還是不夠

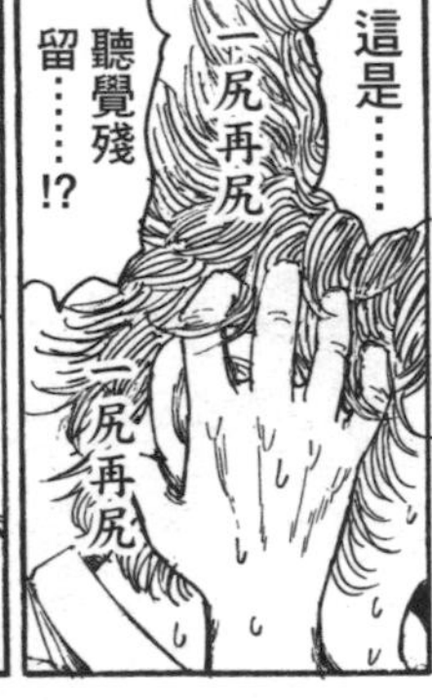
這是……
聽覺殘留……!?
一尻再尻
一尻再尻

邪惡到這種地步的心……!
一尻再尻
一尻再尻
實在……太可怕了……

啊
啊
啊

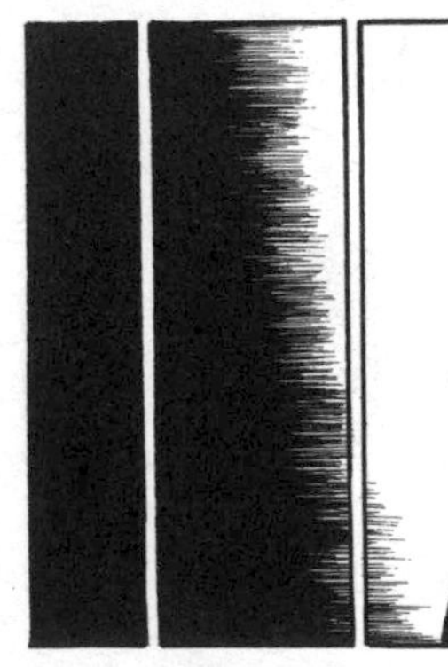

早安——
今天也很熱呢。
糟糕，我忘了帶運動服。
好想泡進泳池喔～
小覺同學……

呃……小覺同學。
咦……!?
驚!!
班上的大家打算在暑假一起烤肉……
小覺同學會想參加嗎……？

怎麼辦……
我突然向他搭話，
他是不是覺得很討厭呀……
難道說……
我被小覺同學討厭了
嗎……？
不、不討厭
喔。
咦？

啊，呃……
我喜歡……
烤肉……
我、我想
參加……！
太好了，
那請你留
聯絡方式。
唔……
嗯……

有結論再
聯絡你喔。
キーンコーン
叮一咚
噹一咚
什麼嘛……
早知道會
這樣……
我應該要
更快……

早安，小覺同學。
!!
昨天發生那樣的狀況，我原本有點擔心。
但你精神似乎很好呢，太棒了。

我都看到了喔，
你前進了一步呢。
你這混帳東西，誰准你和女學生交換聯絡方式啊！
喂!!反正你現在已經勃起了吧？現在就想立刻去廁所打手槍吧？
但你不行～～
上課鐘已經響了，
所以你不能去～～

我一定會想辦法，
讓你瘋狂的本性浮上表面!!
那……
真的很不妥喔……

那樣會侵害我的權利。

！

人心應該是免受任何人干涉的重要的領域才對。

……
你對人權太生疏了，希望你別變成人類……
啊……
我們一起學習吧。
意思就是我要調教你啦。這裡是一個訓練所，功能是教養你們，讓你們無法反抗社會體制。我會操爆你們，直到你們成為方便好用活體齒輪。覺悟吧！我操我操我操我操我操我操我操

來，要上課囉。

『川血』

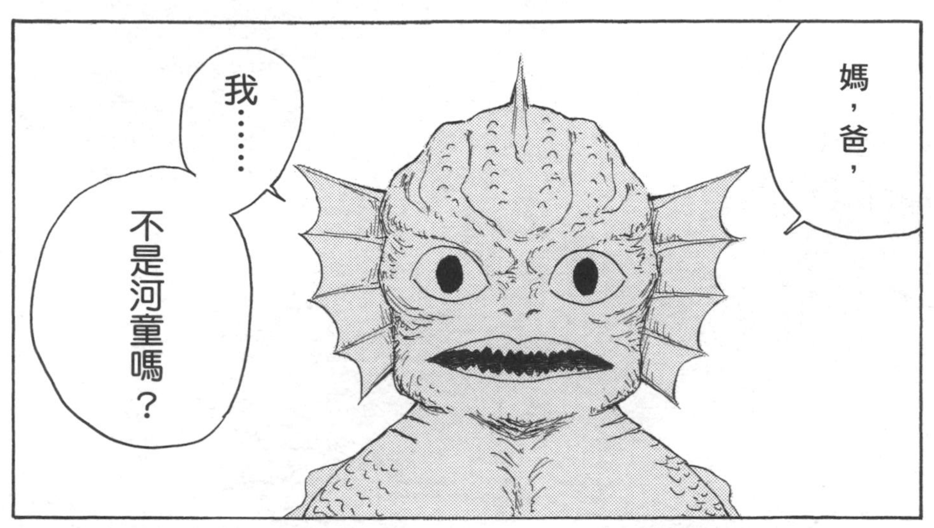
媽，爸，
我……
不是河童嗎？

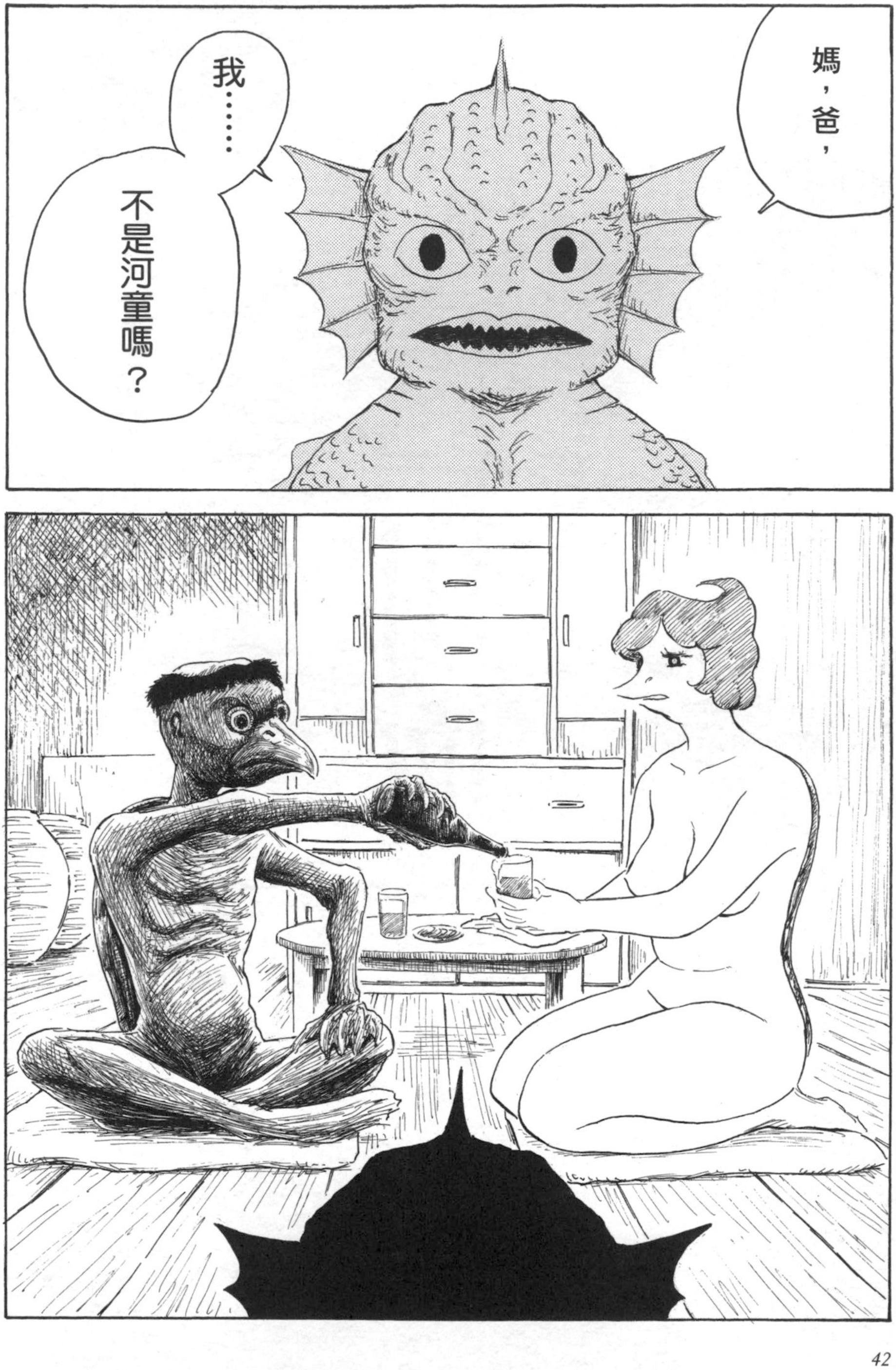

你在說什麼啊？你是河童啊。
對啊。
……可是……
你是爸和媽的孩子，你就是河童，不是什麼別的東西。
學校有誰對你說什麼嗎？

他們說頭上沒有盤子的傢伙不是河童。
那種想法太老派了！
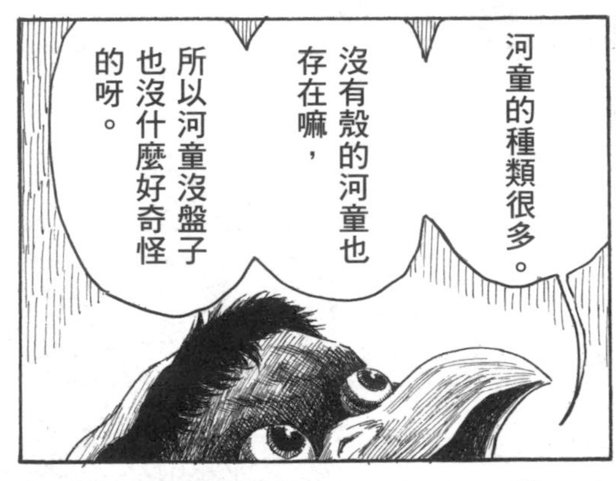
河童的種類很多。
沒有殼的河童也存在嘛，
所以河童沒盤子也沒什麼好奇怪的呀。

不可以在意別人說的話喔……
而且沒有盤子就代表沒有弱點！

你就是你……
你是我們可愛的孩子喔……

好啦，如果明天的行李都準備好了，就去睡覺吧。
明天輪到爸爸做便當，我會放你喜歡的生魚片喔！

……
……

啊

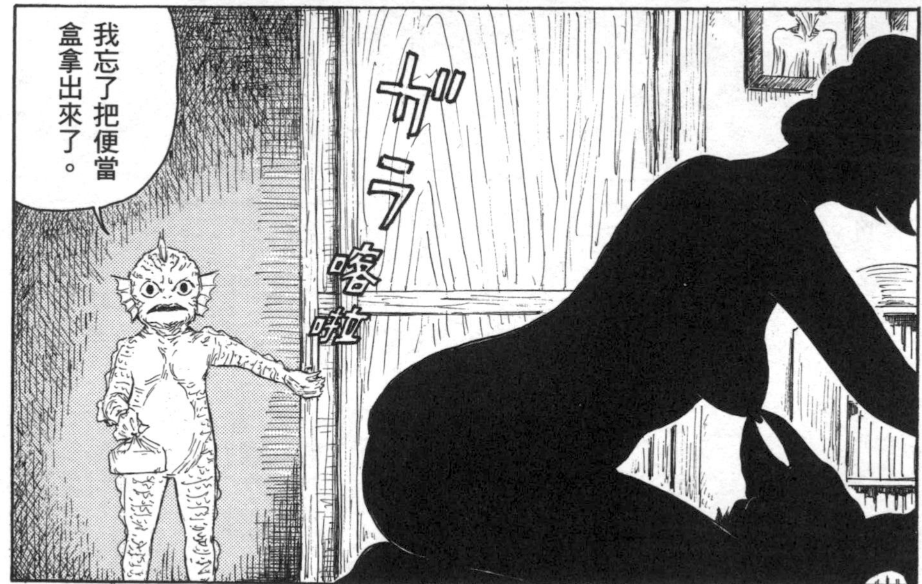
ガラ
喀啦
我忘了把便當盒拿出來了。

孩子的爸！坐墊乾掉了呀！
唉呀，糟糕，我立刻去弄濕它們。

チチチ
チチ…
啾啾啾…

假—河童—！
假河童—

假—河童—！
假河童—

＊傳說中人類力量的泉源，是河童喜愛之物。

喂！假河童。
驚

別在那邊偷偷摸摸吃便當啦——
ボリ
ボリ
ボリ
ボリ
ボリ
喀哩
喀哩
喀哩
喀哩

快看！這傢伙明明是假河童，竟然在吃生魚片耶！
跩屁啊。

讓我試個味道吧。

我也要！
我也要！
我也要！

真讚ー
真讚ー
別人爸媽煮的東西，我吃不下去啊
……

學會運用神通力自在操縱水的話，
對各位的將來一定會有幫助的。
好強！

嗯嗯，
有某個孩子做不好的話，大家就會互助學習。
加油！
太棒了。
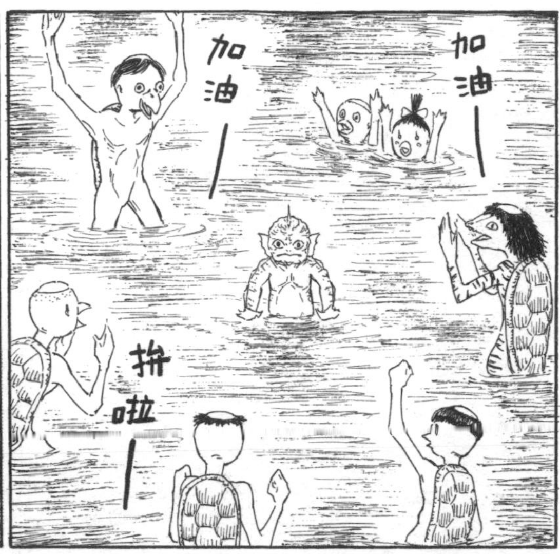
加油——
加油——
拚啦——

大家長大成人以後，這個國家肯定會成為更好的國家吧……

歸啯
歸啯

歸啯
歸啯
放學時間到了，
請大家回家路上小心安全。

老師—
再—見—
好，再見

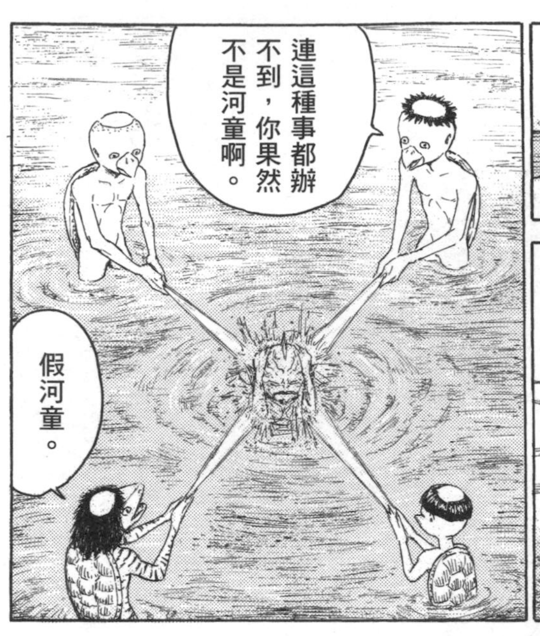
連這種事都辦不到，你果然不是河童啊。
假河童。

噴
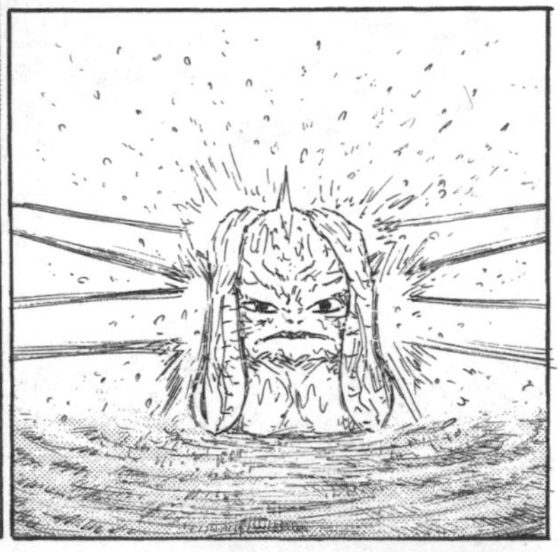

讓你看看老子我的必殺技。

好!!
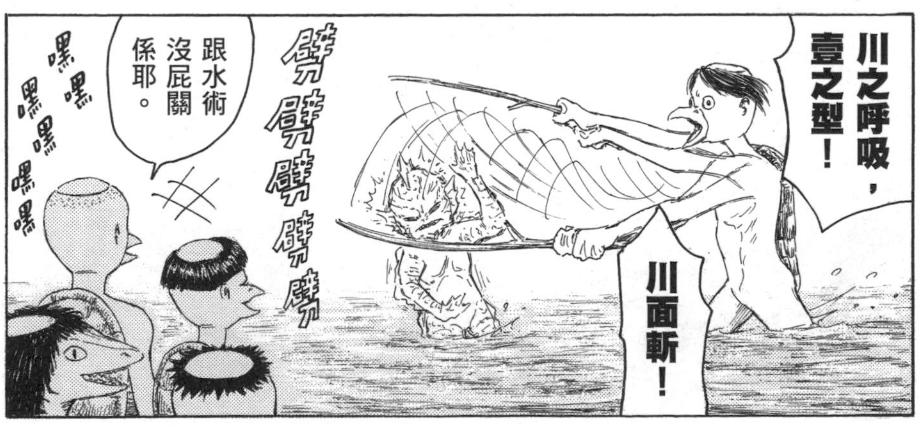
川之呼吸，壹之型！
川面斬！
劈劈劈劈劈
跟水術沒屁關係耶。
嘿嘿嘿嘿嘿嘿

沙沙沙
喀嚓
喀嚓
沙沙
什麼……？
啊！
是手槍。
恰
河童，
受死吧。

撿到了好東西呢。
恰
恰
恰
喀咻
來和爸爸玩戰爭遊戲吧。
!?

……大叔……
你是誰……？
！
你受傷了嗎……？
咦……什麼？大叔是外國人？
ガバッ 撲
哇！
等一下，大叔……！這樣我很難受啊……！

什麼……!?
我完全聽不懂你在說什麼啊……!

住手……!
放開我!

大叔嚇死我了啦!!

媽—
爸—

吁—……

媽！
爸！
還沒有人回家……
血……
……………
那個大叔不會有事吧……？
喀啦……
我記得……這裡應該有外傷藥……
啊！就是這個，爸爸常塗在身上的。
Lotion
MYO-YAKU

真的死了嗎？

小心點！

根據我的情報，他應該弄到了武器。

不過啊，還真虧他逃得出收容所呢……

啊……
啊……
啊……

河〇安
河童国安全管理局

アアア〜
啊啊啊〜
オオオオ〜
啊啊啊〜

ウアアア〜
嗚啊啊啊〜

ガタガタ
ガタ
抖抖

喀鏘
驚
出來。
HELP
咕嚕咕嚕
嗚

要是說出去，
我就會把你
帶回來喔。

聽好了，你在這
看到的事情，
不許告訴任何人。

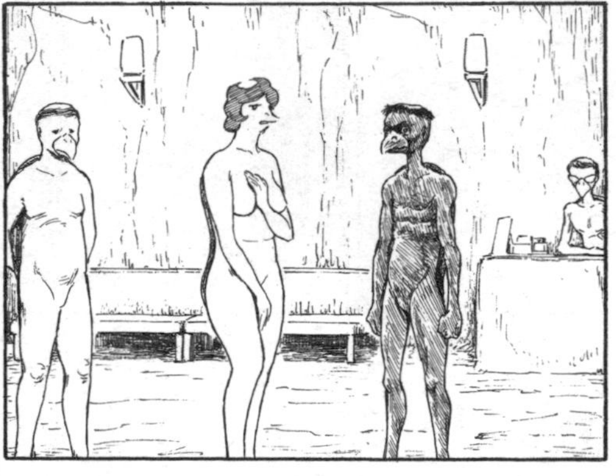

媽！
爸！

沒事了，
我們回家吧……
你很害怕吧……
抖成這樣……

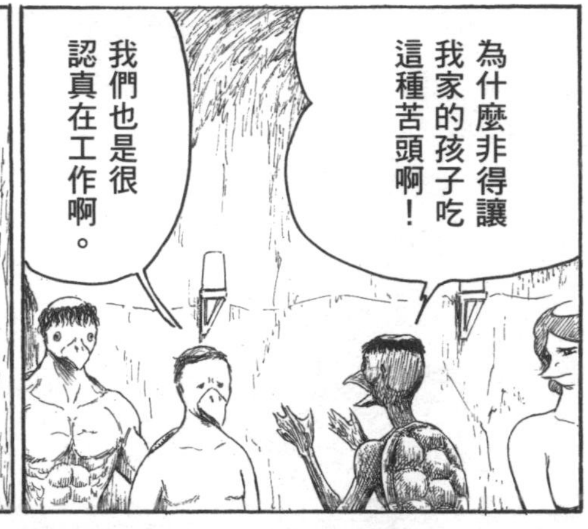
為什麼非得讓我家的孩子吃這種苦頭啊！
我們也是很認真在工作啊。

ギャアギャア
ギャアギャア
ギャア
吵吵
鬧鬧

好啦，回去吧。
這孩子很可憐啊

啊，對了對了，你兒子身上帶著這個。
歸還給您囉。

用它生個第二胎如何啊？
Lotion

這次不知道會長得像誰呢~~~
ヘッヘッヘッ
嘿嘿

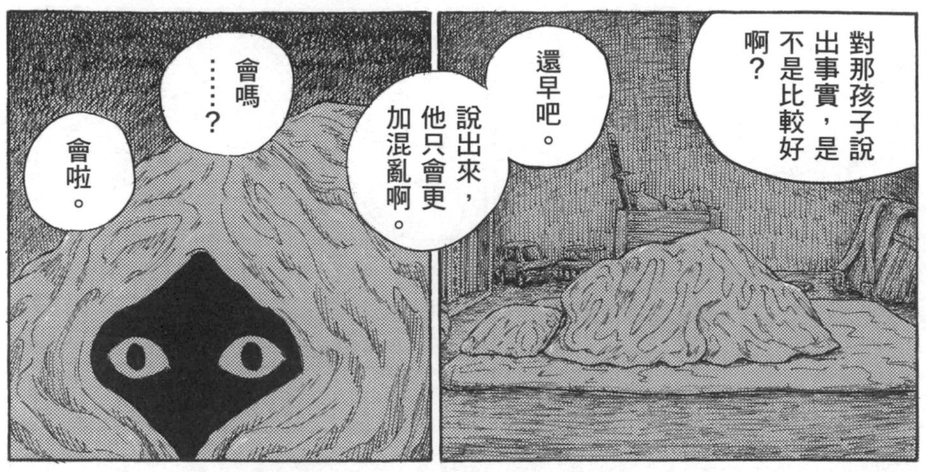

輕柔的
拔出尻子玉
的手法

げこう
歸國

你之前好像被逮捕了耶──
風聲在鎮上傳開囉──

……

不只是假河童，還是個犯罪分子喔？
喂，你到底做了什麼啊？
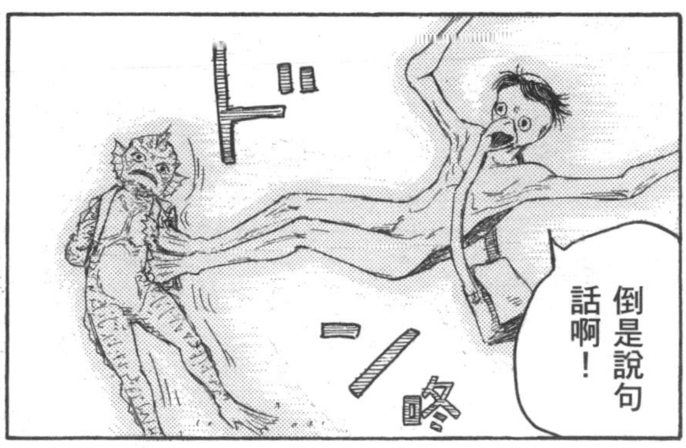
ドーン
咚
倒是說句話啊！

バシャーン
嘩啦

瞪

瞪屁啊
你這犯罪者。
真跩呀。

對了，我們來處罰犯罪分子吧！
好耶。

把他當成拔尻子玉的練習臺吧。

別讓他跑了！
壓住他！

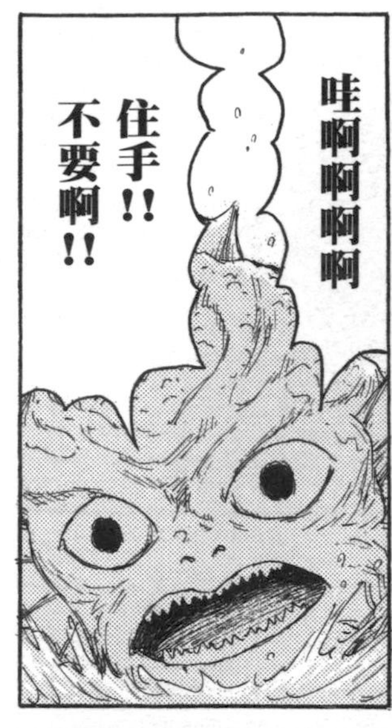
哇啊啊啊啊
住手!!
不要啊!!

噗通

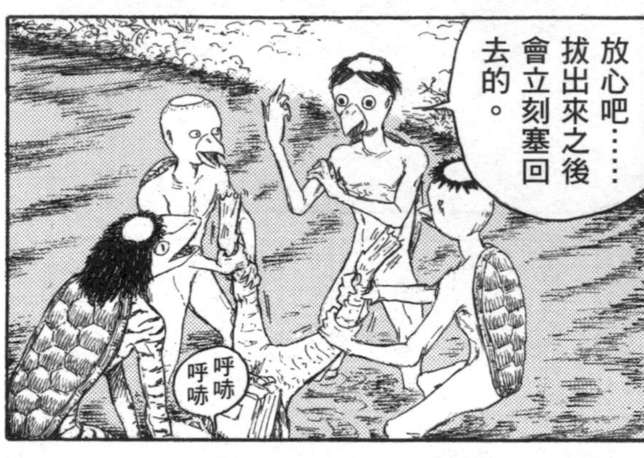
放心吧……拔出來之後會立刻塞回去的。
呼哧呼哧

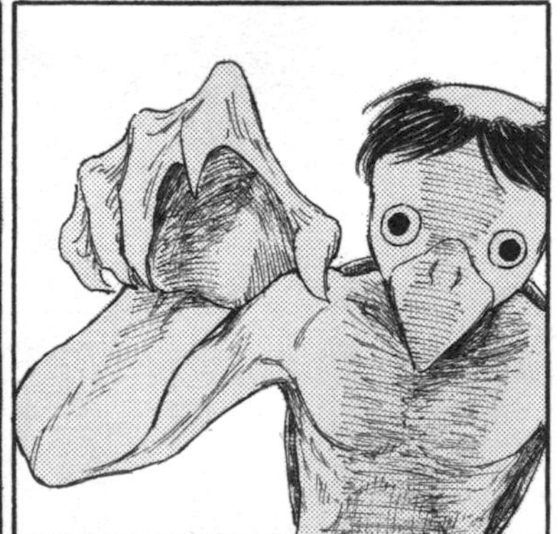

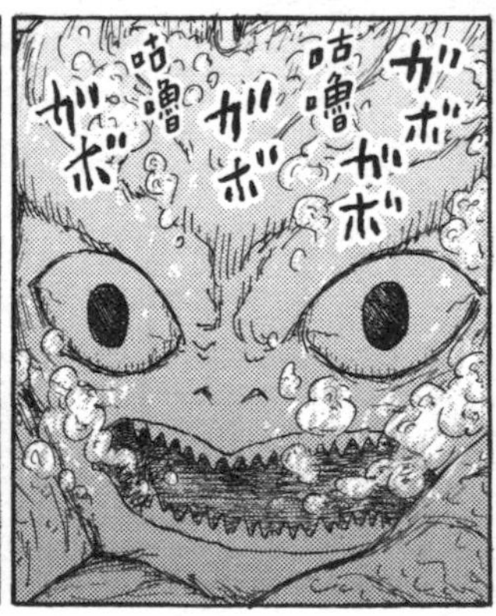
ガボ
ガボ
咕嚕
ガボ
咕嚕
ガボ

是這個嗎……？還是這個啊？
喂！
老師過來囉！
喔？各位同學，
你們在做什麼呢？
放學後大家聚集在這裡，
練習水術——
這樣啊，真令人欽佩呢。
ジュルルルルル
茲嚕嚕
ジュワ
ジュワ
茲茲
茲……

哎呀！他也學會水術了呢！
咦？

啪

唰

流川！
喂！流川！
流川同學，振作啊！
啊……

瞪大

ガバッ
彈起
好痛啊啊啊！

是真正的手槍!!
那傢伙果然是犯罪分子!!

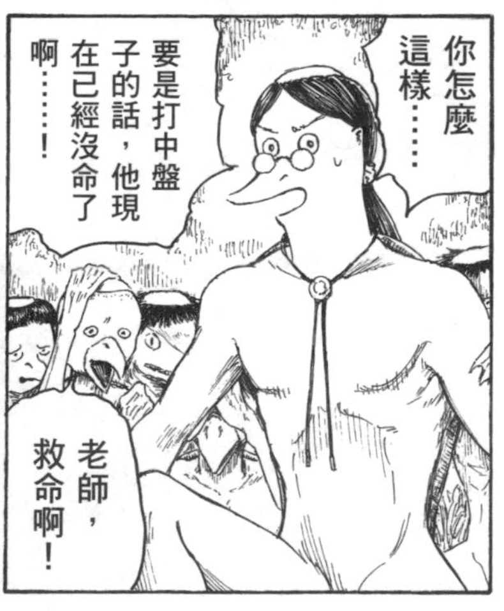
你怎麼這樣……
要是打中盤子的話，他現在已經沒命了啊……！
老師，救命啊！

那不是小孩子該用的東西！
來……交給老師……

來，快點……！

好可怕啊。
不然會演變成無法挽回的狀況喔！

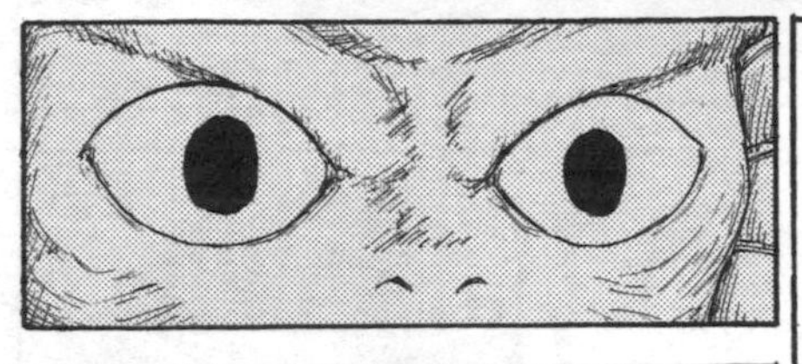

………
………

我根本沒有……

……可以挽回的東西……

這裡什麼也沒有。

ドプンッ
噗通

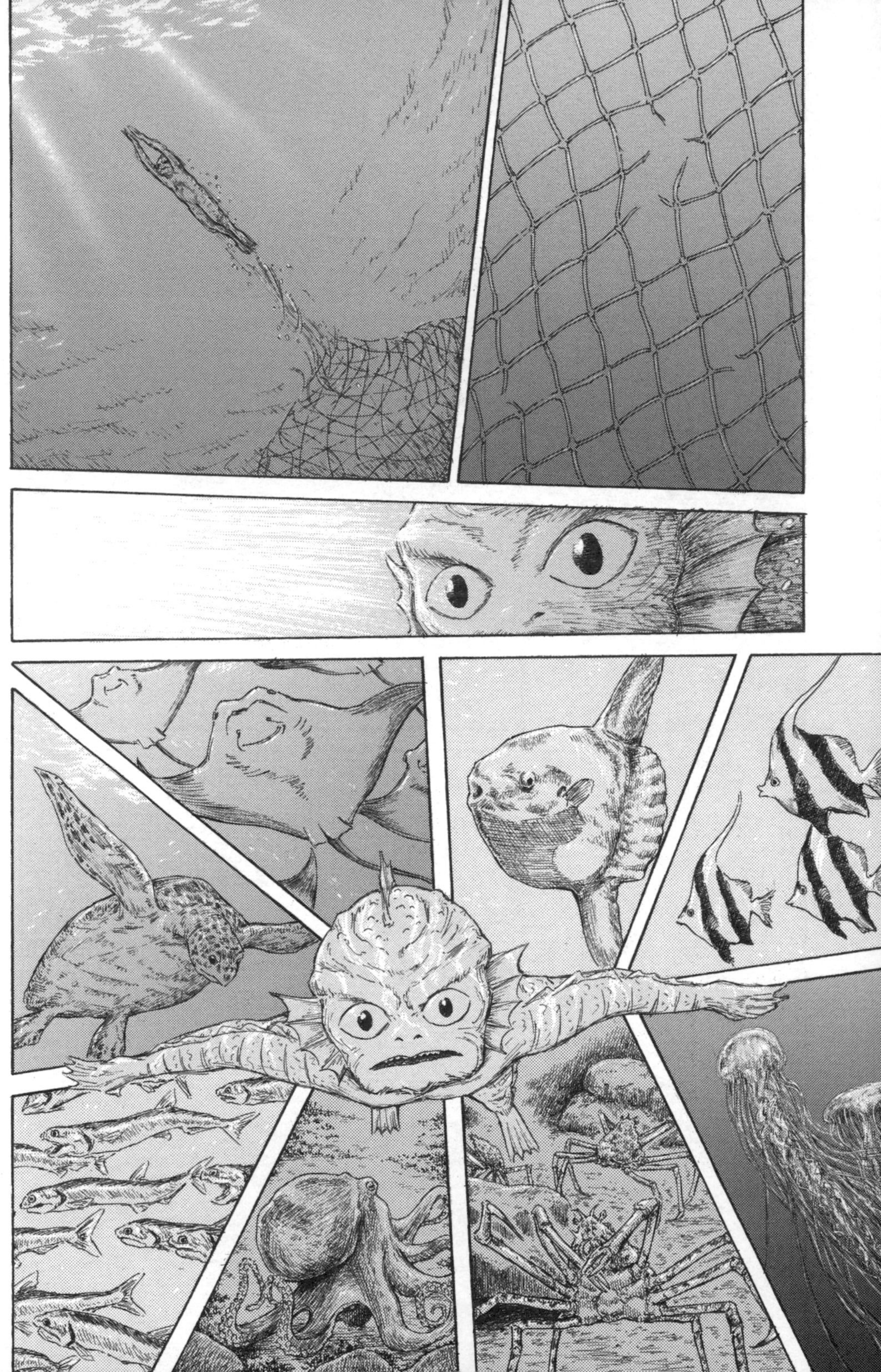

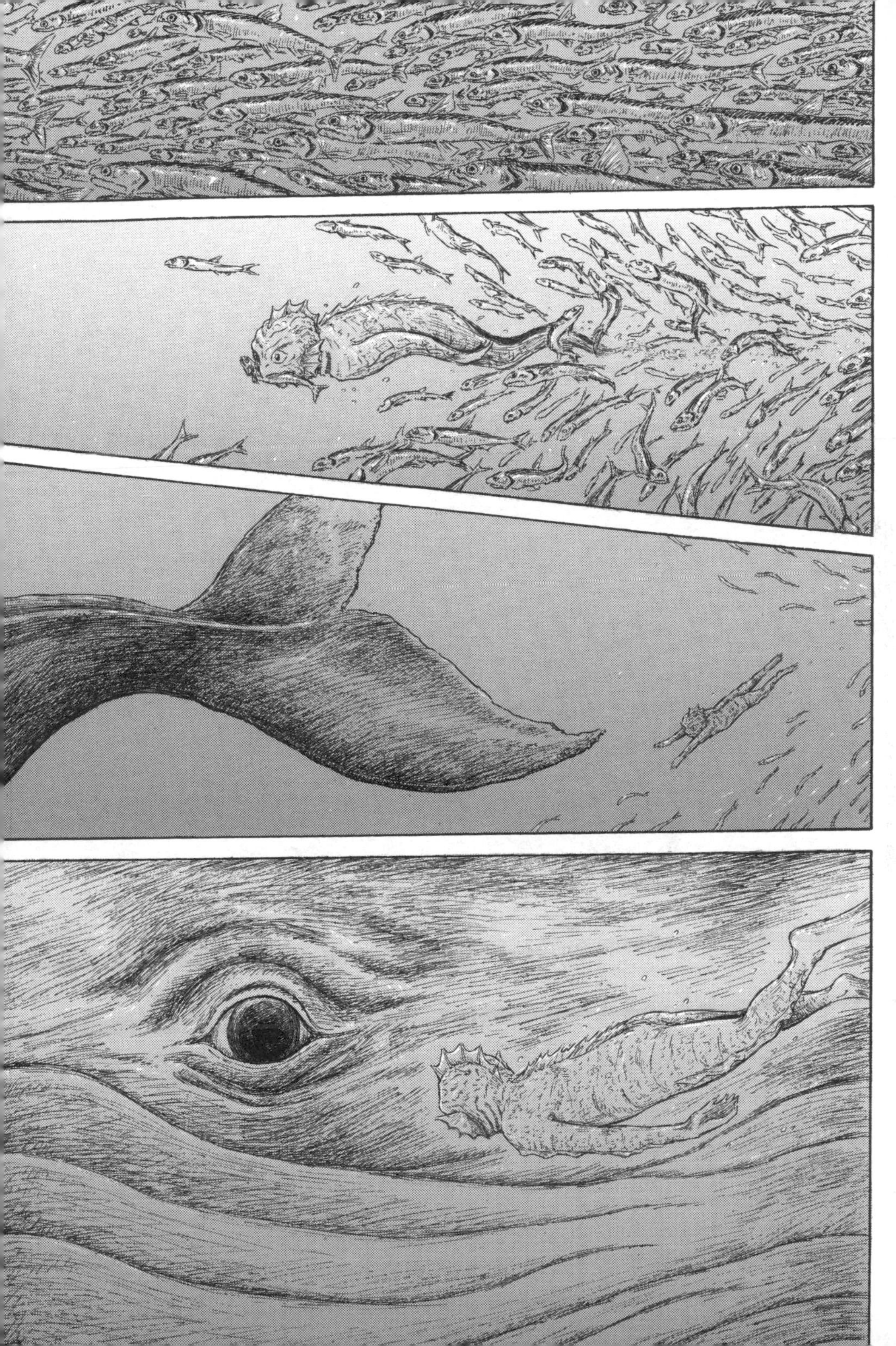

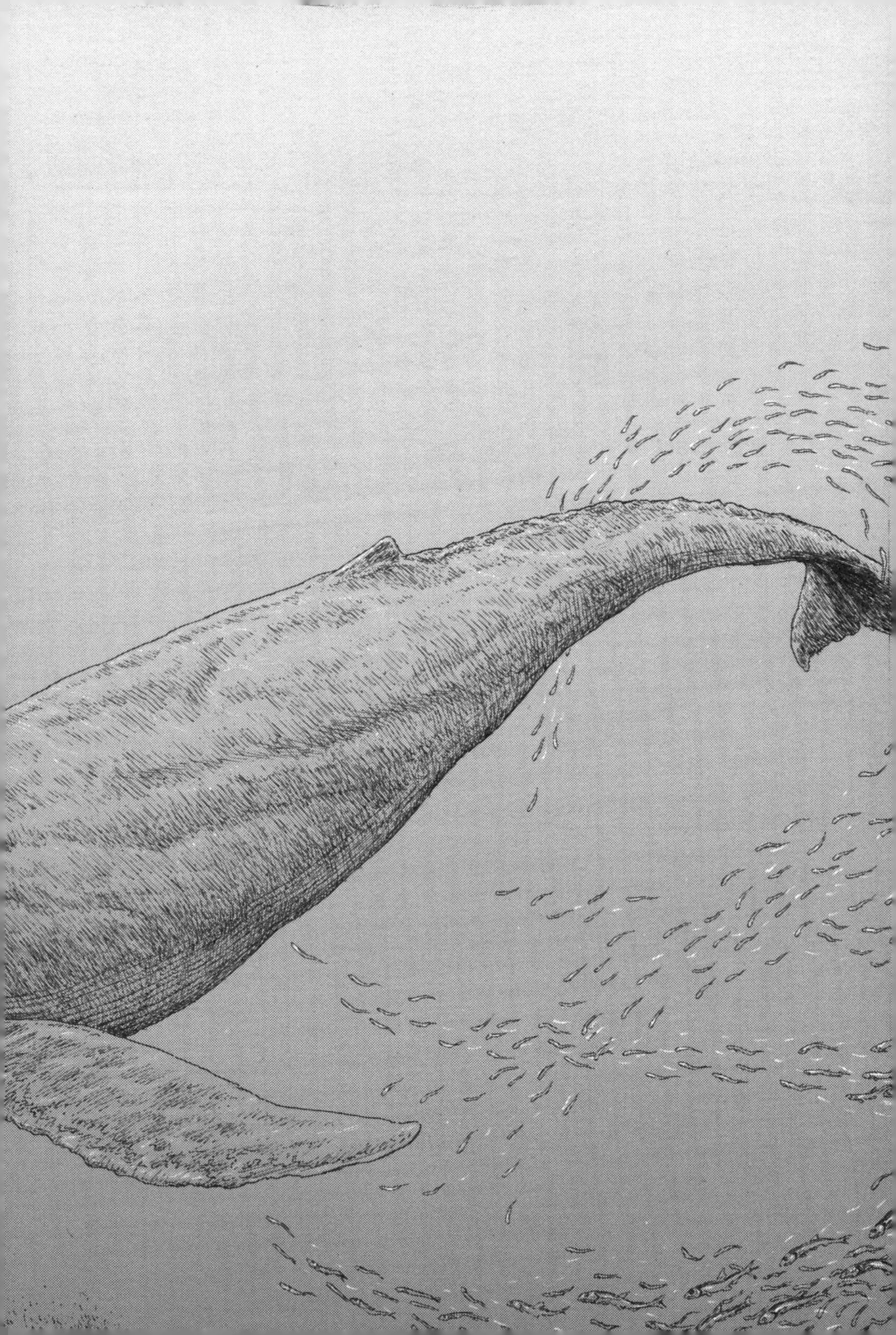

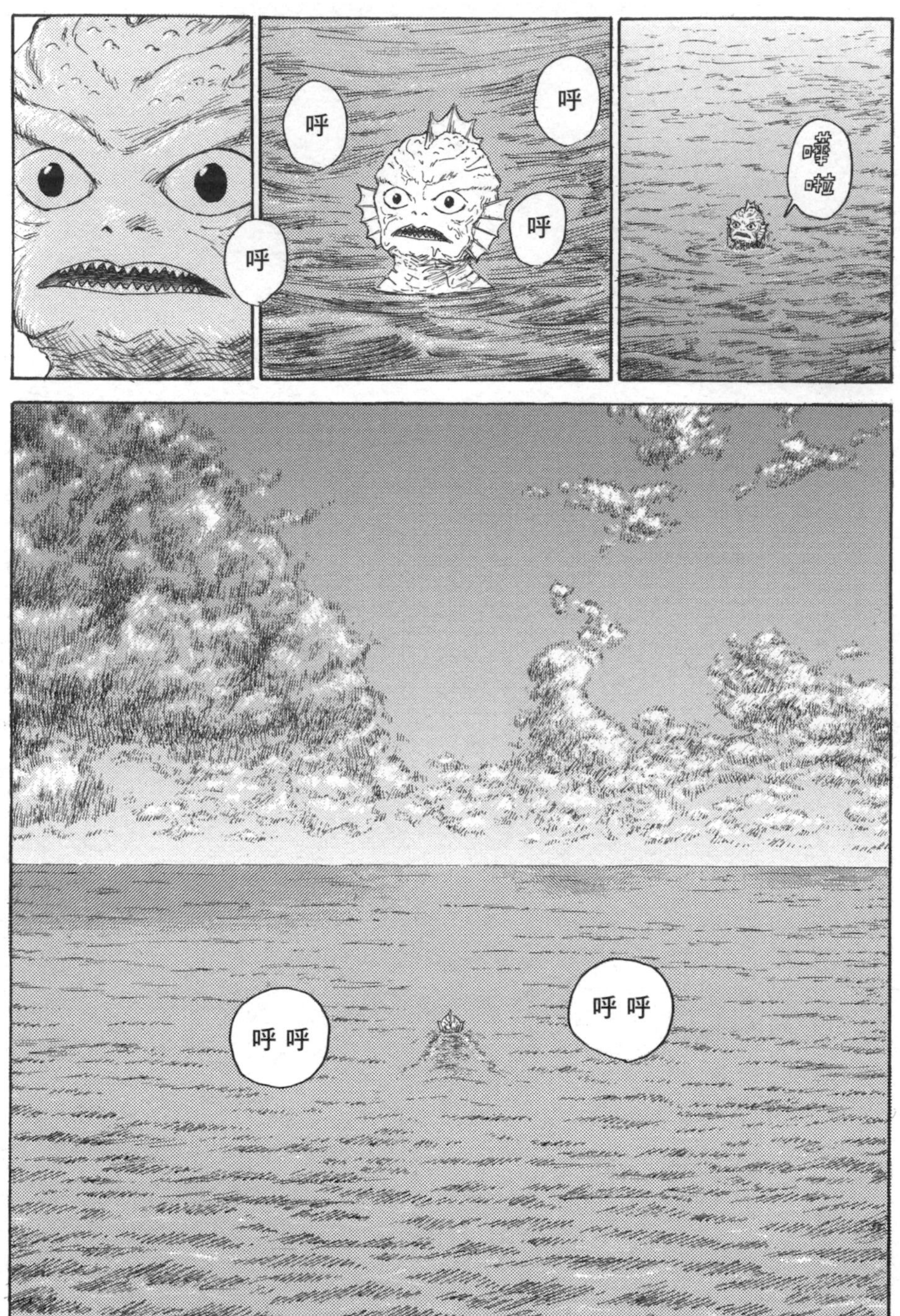
呼
呼
呼
呼
嘩啦
呼呼
呼呼

缺貓

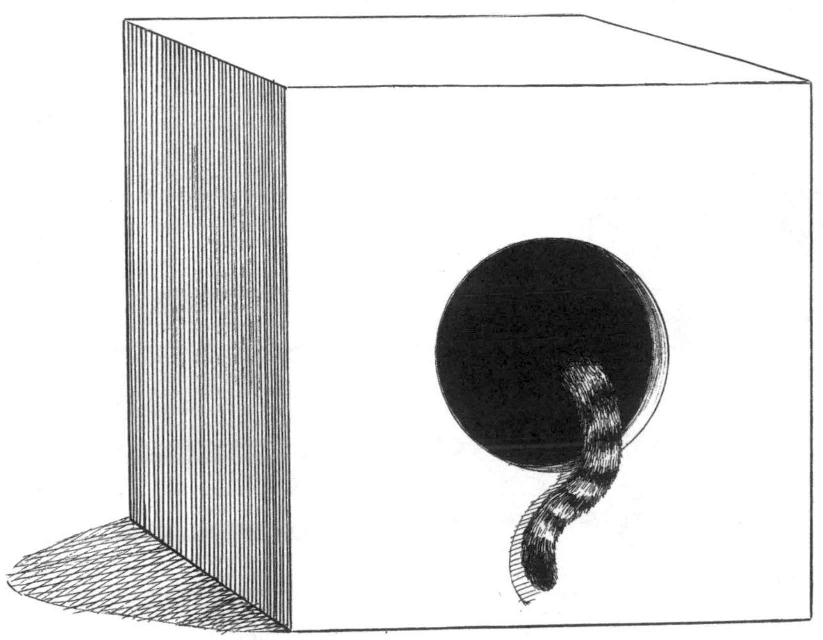

先前還想說，最
近好像都沒看到
那孩子呢。

看來她窩進了這
箱子裡，不肯離
開半步。

大家決定一起說
服她跨出箱外。

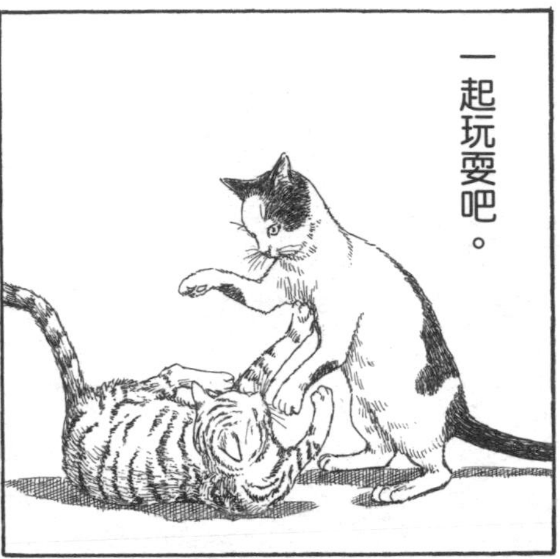
一起玩耍吧。

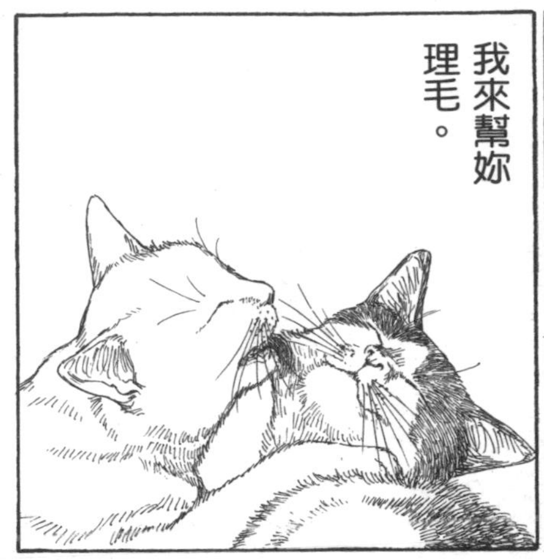
我來幫妳理毛。

我們去打獵吧。

妳看，開了很漂亮的花喔。

陽光照射的地方很溫暖喔。
太陽曬起來很舒服。

不管大家說什麼，
她都沒有要出來的意思。
別用那麼溫和的手段啦。

這種時候就該斥喝她一頓啊。
踐屁啊……

喂！我不知道妳發生了什麼事，
不過只要活著，任何人都會碰上一、兩個討厭的狀況啦。

說得好像很懂似的……

妳以為只有自己是不幸的嗎？
做這種誇張的事來引起周圍的人關心……

我不想聽了……

令人頭痛的傢伙，
我要把妳拖出來！
啊。

不行喔，
怎麼能硬逼別人呢……

哇！

是妖貓——!!
她年紀輕輕就
成了妖貓。

真是的……都是爸媽沒教好才變成這樣啦……
隨便到極點的傢伙。
欸，媽，妳看，那個大叔漏尿了。
不要理他喔。
竟然是妖貓，應付不來啦。
看到手腕的傷了嗎？
那是她自己抓的傷吧。
她現在的狀態是不是很危險啊？
得立刻阻止她才行！
不要抓自己！
抓自己不好喔！
不可以抓！
不要不分青紅皂白地否定我。
大家都在擔心妳喔。
不要給我罪惡感。

妳要是傷害自己，我們也會受傷的呀。
那是你家的事吧。
要珍惜爸媽給你的身體啊。
吵死了，閉嘴。
只是抓幾下死不了的喔。
真的想死的話，還有很多可用的方法吧。
那只是一種引人注目的手段啦。
放著不管也沒什麼好擔心的。
等她肚子餓了就會出來了。
明明只有半吊子的知識，
為什麼可以拋出那麼粗暴的發言呢……
就算這樣，也不能丟著她呀！
她遲早會有生命危險的，有這種可能性啊。
那就盡你們所能吧，加油囉。
一點都不溫柔……

……話說回來，該怎麼辦呢……
她對自己的評價很低……
明明還挺可愛的，卻認為自己很醜啊。
結果變成了妖貓……
總之幫她打氣吧。
「活著感覺很痛苦」的背後，有各種緣由複雜地糾纏在一起啊。
妳很棒喔。
妳很有魅力呀。
不要把自我意識、自我肯定感矮小化了……
不要緊，妳一定會恢復原狀的。
積極地活下去吧。
不要把它們當成個人的問題。
要是不懂這些道理，
你們的話語就毫無體貼可言。

隨著時間過去，
她身邊的人一個接著一個，
一個接著一個離開了。

老實說，我也不知道該如何是好。
就算挑得出別人作為的毛病，
我終究還是無法為她做什麼……
你還在啊？

！
啊……
妳……為什麼……
我自己也不明白喔。

不知道為什麼會變成這樣。

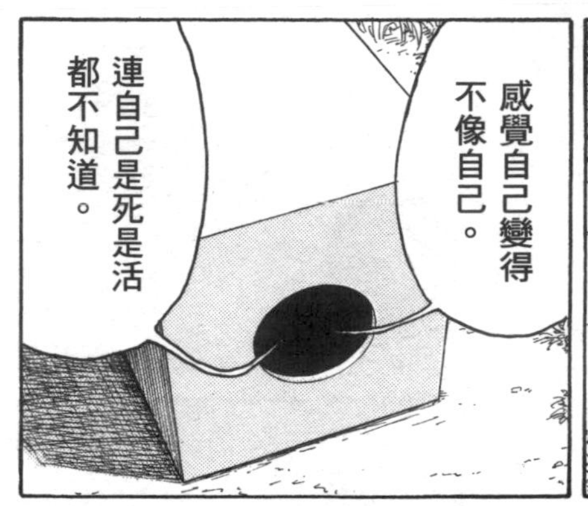
感覺自己變得不像自己。
連自己是死是活都不知道。

不管旁人說什麼，我都深思不了……
……

你如果可以跟我說話的話……說什麼都行……
妳很難受吧？

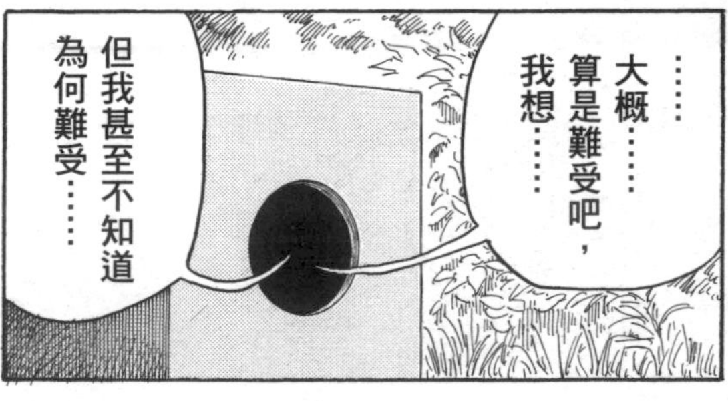
……大概……算是難受吧，我想……
但我甚至不知道為何難受……

傷害自己的人呢，
會在自覺內心疼痛之前，用身體的疼痛……
來遮蓋內心的疼痛。
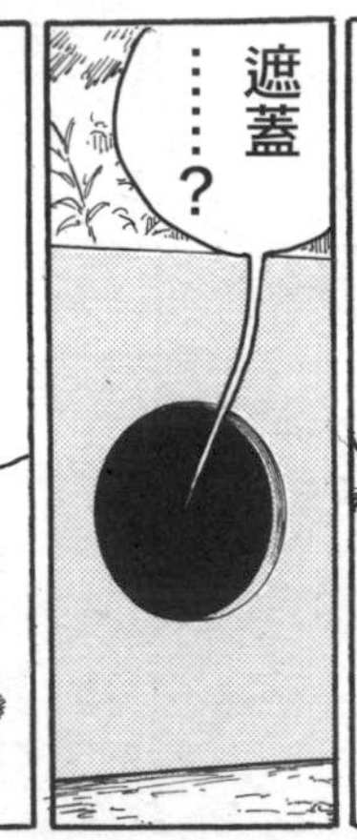
遮蓋……？

所以他們才會被無以名狀的激烈情感淹沒……

那打開那個蓋子就行了嗎!?
要怎麼做才能打開呢？
……別激動

那蓋子不是想打開就能打開的。
硬是撬開它的話，有可能帶來極為強烈的痛苦，到時候就算想要活下去也無法如意……

蓋子應該會在適當的時機，因為適當的機緣而開啟才對……
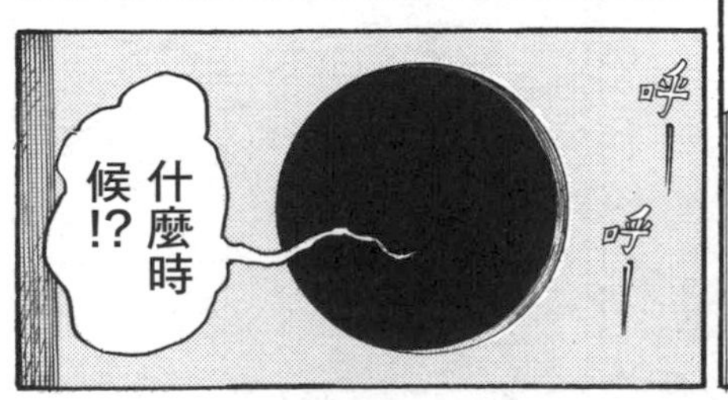
呼——呼——
什麼時候!?

沒人知道。

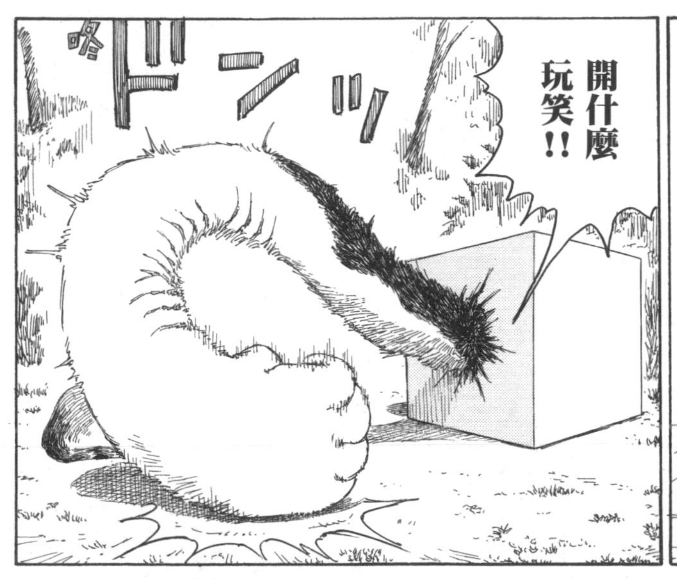
咚ドーンッ
開什麼玩笑!!

畢竟我又不是專家……
我自己也在尋找出口的過程中……
所以立場和妳相同啊。

……
你也有這種經驗嗎……?

我沒有直接傷害身體……
不過廣義而言，做的事情是相同的。

你做了什麼?

濫用木天蓼。

那不是防蟲用的嗎？
以前大家也會用它追求飄飄然的感覺啊。

你也有一段複雜的過去呢……

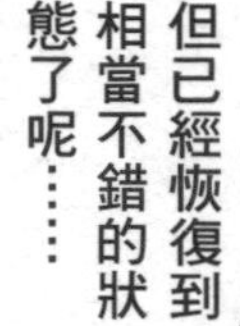
但已經恢復到相當不錯的狀態了呢……

妳如果感興趣，
我可以把我看的醫生介紹給妳……

……是很好的醫生嗎？
跟我很合得來喔。

不過她現在已經是個老奶奶了，
下盤虛弱，應該無法過來這裡……

所以呢，我希望，
妳能試著跨出一步看看。

總有一天，

妳將能用自己的話語說明：
妳一直不斷對抗的

「生存在世的痛苦」
有著什麼樣的背景——

也將能相信，活在世上變得稍微輕鬆一點了。

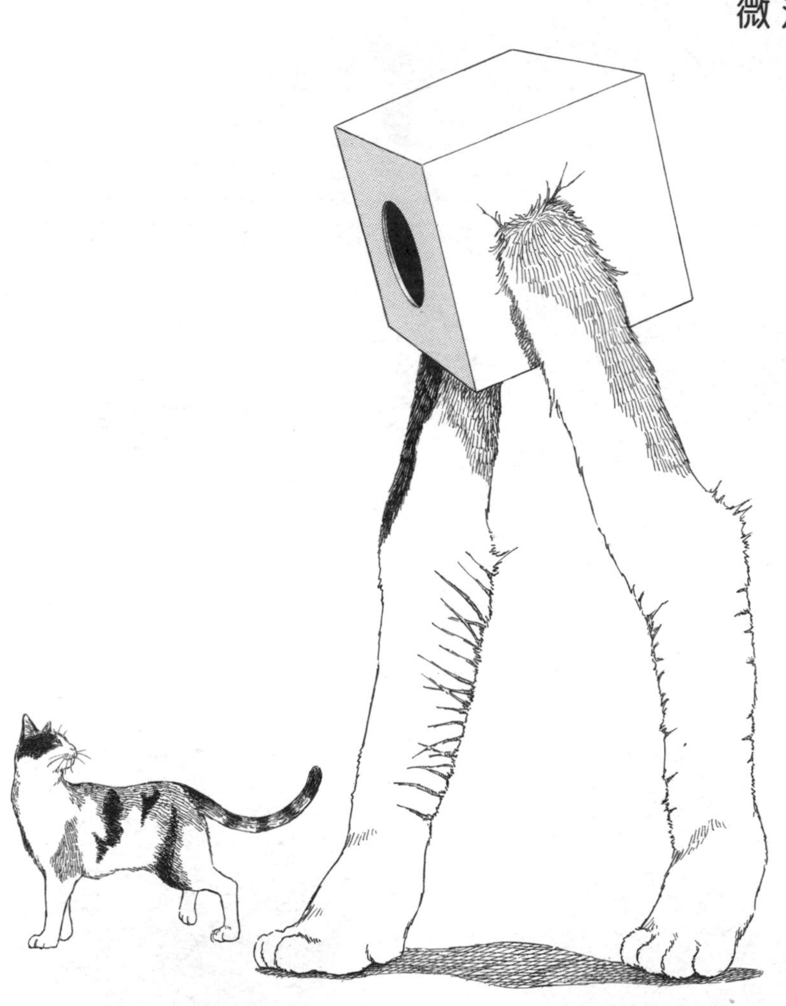

『峯落』

正理，妳看，兔子的寶寶……

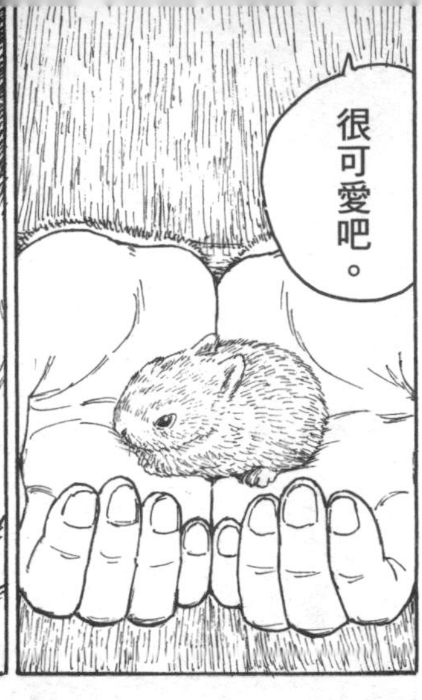
很可愛吧。

嗯，是啊。

喏，去吧。

跳
跳

時候快到了呢……正理……

山……會動起來嗎……？

我會移山給你看的……

咚

嗡

時候終於
來臨了，

明天就會
決定我們的新
頭目人選。

在前夜祭開始之前，有請現任頭目說幾句話……

這位山男開拓群山，使稻米收成、物流方面都產生重大變革……
他叫勝山。
ドン
咚
這位山男被前人直接灌輸治理山地的智慧和技術，繼承了真貨的基因……
他叫大勝。
ドン
咚
這位山姥狩獵技巧高明、力大無窮，是第一位升上幹部的女性……
她叫正理。
ドン
咚
──以上三位。
ドオン
咚
接下來請他們說幾句話，展現一下拚勁……
ワー
哇──
ワー
哇──

真是一場鬧劇呢……
不管擺幾個頭目候選人，我們都還是沒得選啊……

我會打造出比現在更令人引以為傲的山，
令山上的人們更加團結，像綿延山脈那樣——
山是我們的家人，我不會讓大家忘記這種自覺——
山民為了山民而採取的…
扯半天……
而且具體的事情一件也沒說……

仔細聽啦！小鬼們。
瞪
對……對不起……

——那麼，最後是……
正理。

……

全是男人呢……
騷動…
為什麼這場合的女人那麼少……？

桌上擺的飯菜是誰做的？

無法參與政事，在家照顧小孩子的是誰？

答案再明白不過了。

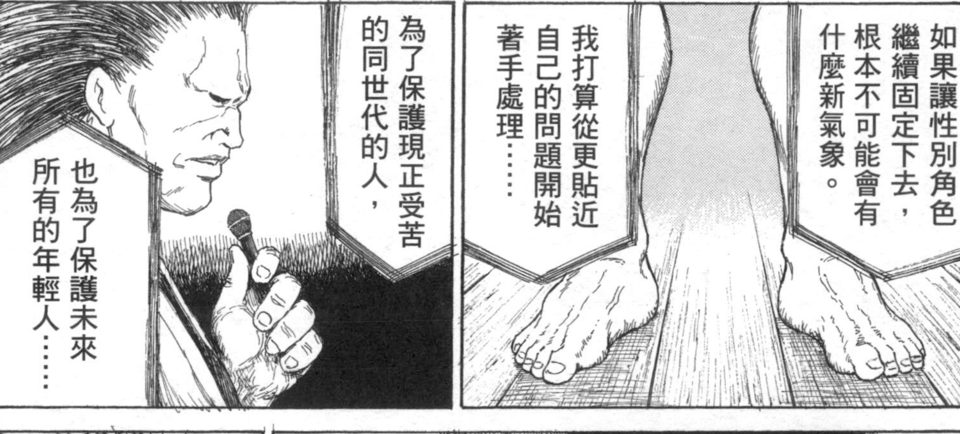

曾被這個男人
強暴。

ざわ
ざわ
七嘴
八舌
ざわ
ざわ
怎麼突然說這個啊……？
不該在這種場合扯這個吧……

幾年前開始，我回想起一些片段……
最近總算確定我曾受害，
我也決定要公開這件事了。
我是被害者，但我不打算只當一個被害者。
我希望頭目自己從實招來……

不，不關我的事，不關我的事。
我一點印象也沒有！
妳怎麼會搞錯這種事啊，這是天大的誣賴！
山姥，妳可別胡說八道啊!!
對啊對啊！
妳有證據嗎!?
就算妳當時還小，有誰對妳惡作劇的話，妳起碼會向某個人打報告吧！
那是幾十年前的事了……
我沒有物證……
我也不知道自己受害後是否曾經告訴別人……
看吧！
那麼久以前的事了，事到如今無法處理了啊！

某些受到暴行的人，會失去受害時的記憶……
我就屬於這種人。
那樣說就要我相信妳，根本不可能啊！

受害者不只我一個。

妳們不需要出聲……成為眾矢之的、承受骯髒言論這種事，交給我一個人就夠了。

妳們沒做錯任何事，我不希望讓妳們感到不快。

頭目……事已至此，你還想繼續裝傻的話，

我就要把我被害當時的狀況說出來了。只要是我還記得的細節，我都打算詳細交代……

我要取消妳這混帳
的頭目候選資格!!
立刻把這滿口謊言
的女人拖下臺!!
ボコ
砰
咚
オッ

ドスゥン
咚隆
別想陷害我老爸啦!!
妳這卑鄙山姥!!
綁起來，活動結束後再放人！
うおおおおお
哇啊啊啊
臭老太婆！
竟敢毀掉這充滿喜氣的場子！

正理！

妳沒事吧……？正理……
……
……

我現在幫妳解開繩子！

ガッ
ガッ
ガッ

好硬呀～～～……

ガッ
你~在搞啥啊~
抓

藤人!?

正理……對不起……

我……救不了妳……

這邊這邊。
讓你們看看有趣的東西喔～
嘿嘿嘿
！

藤人……
我不要移山了，我要……

弄垮它。

ドォン咚

好啦……雖然發生了各種麻煩事，

但新頭目人選很快就要發表了。

到底哪一方會成為我們的新首領呢……

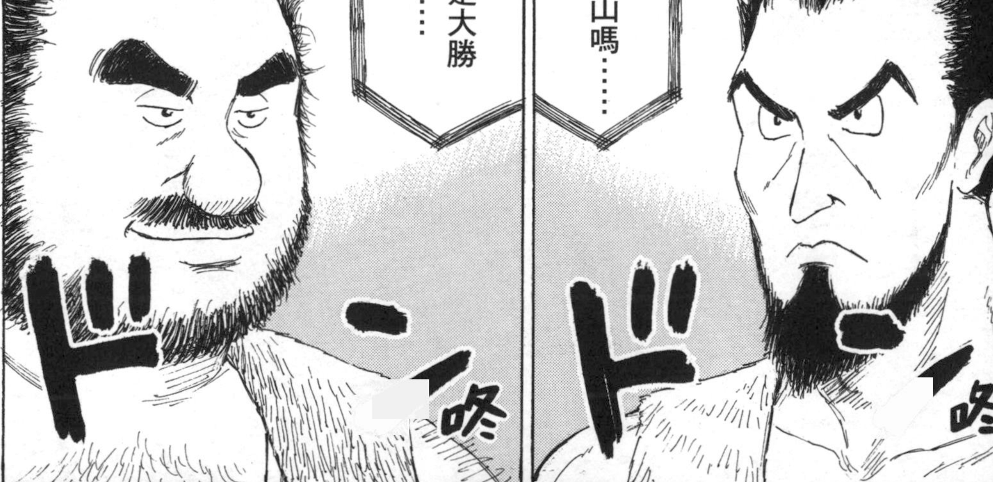

是正理——！

騷動…

ザッ
沙
オオオオオ
喔喔
喔喔
阻止那傢伙!!

阻止她阻止她
阻止她!!

ガチ
正理，冷靜下來……！
妳這樣做也不會有什麼改變的啊……
イッ
嘎嚓
ゴゴゴゴ
ゴゴーン
砰砰

ゴンゴンゴンゴン
砰砰

シュウウウウ
嘶

哇啊啊，媽呀——
喂！大勝……

揍我就是了。
如果氣會消的話，就儘管揍我吧。
說出事實。
我不想要你謝罪，也不想要你受罰，
我只希望你說出事實。
我不知道就是不知道。
說。

你不說，我就要破壞山的秩序。
透過暴力……
不斷凌虐男人們……
創造出沒人樂見，連我都不希望存在的世界……
你真堅強
一個僅僅是男女立場對調的世界。
就像你們過去那樣，
用力量壓制人們，
強迫他們扮演特定角色。
在那角色滲入你們體內……
令你們灰心挫敗之前……
我都會不斷痛扁你們……

你說出事實，
我就下山。

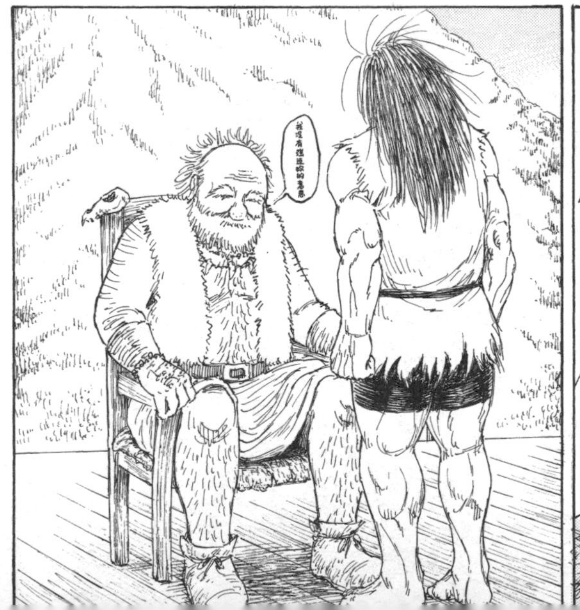

ドシッドシッドシッ
咚咚
ガッ
握
咿……
ズシンズシンズシン
隆隆
ぐぐっ
按……

我不是說
你不用送我嗎？
正理。
藤人。

有人拜託我轉交一封信……
前頭目夫人寫的。
……
……
……這樣啊……
當時我確實表明過自己受害了呢……
她也記得那件事……
……
但她沒有處理這件事呢……
她不知道該怎麼辦吧……
喳

正理——
我之後也會下山的——

ようきな
やつら

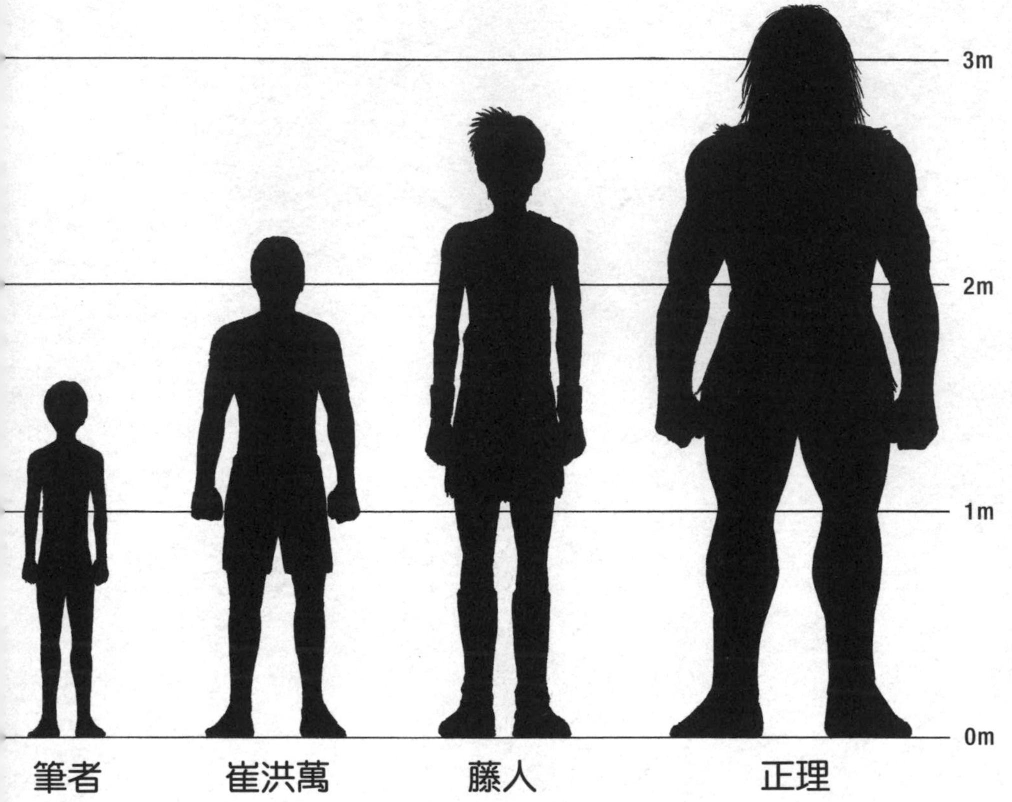

3m
2m
1m
0m
筆者
崔洪萬
藤人
正理

『追燈』

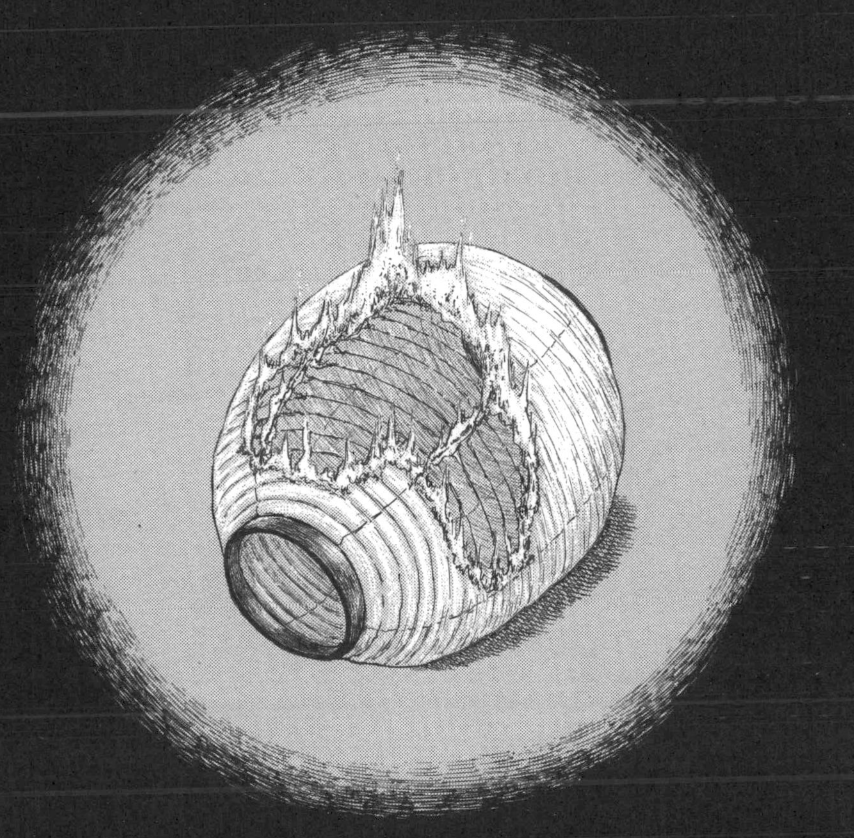

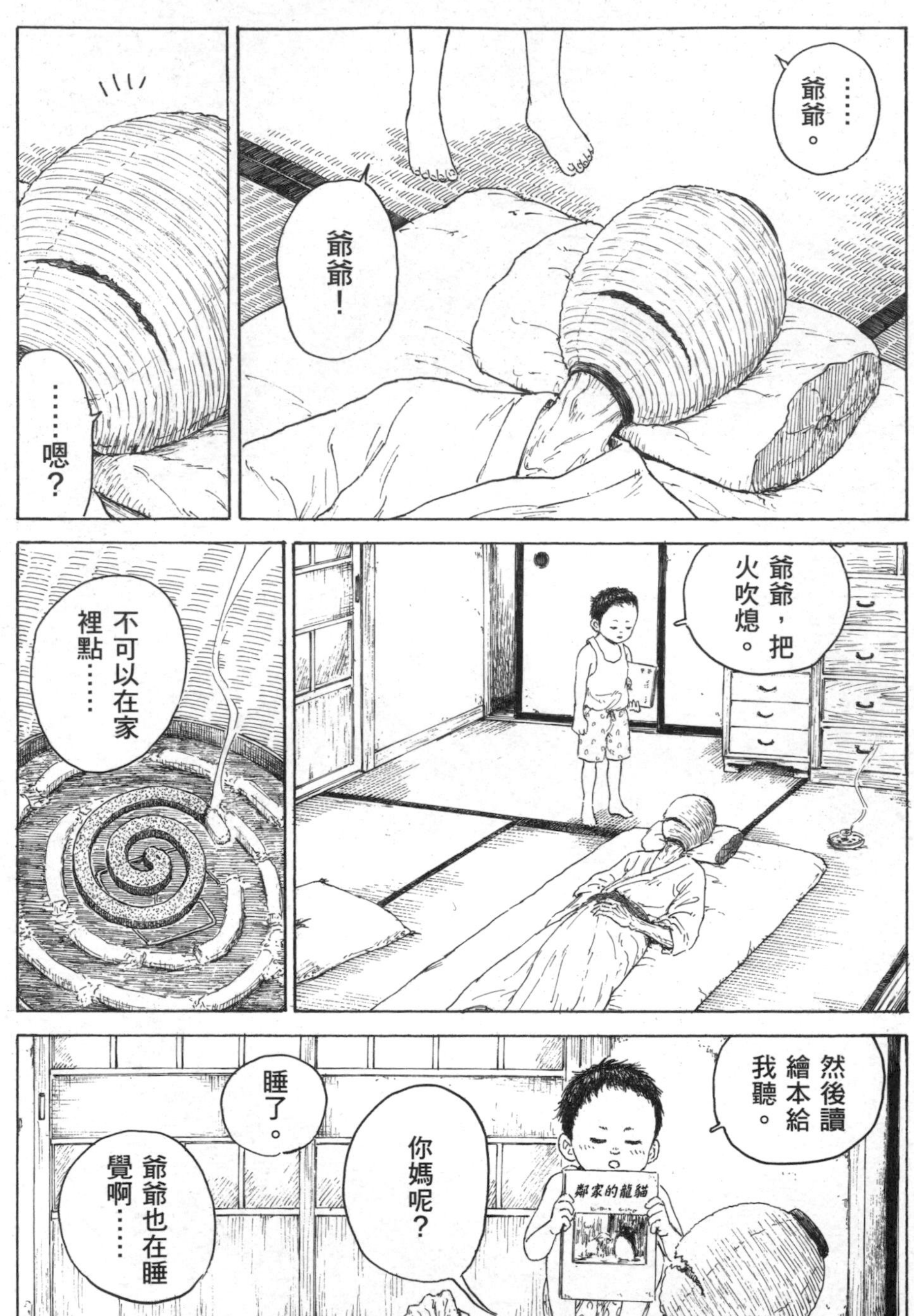
……爺爺。
爺爺！
……嗯？
爺爺，把火吹熄。
不可以在家裡點……
然後讀繪本給我聽。
你媽呢？
睡了。
爺爺也在睡覺啊……
鄰家的龍貓

……
……
鄭家的龍貓

我眼前一片模糊，沒辦法讀啊……
眼前？

爺爺改說個從前的故事給你聽吧。
很久很久以前嗎？

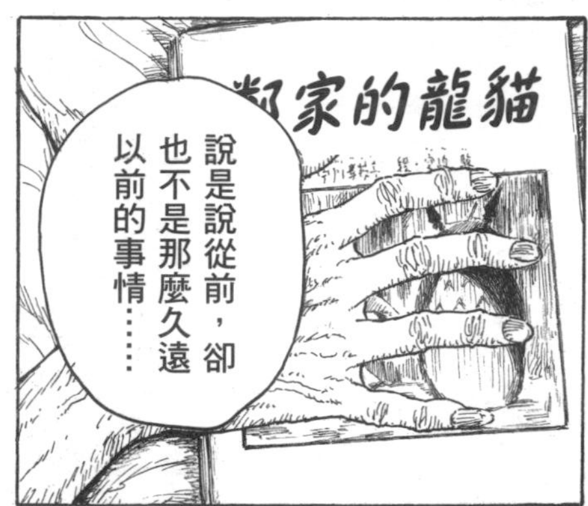
家的龍貓
說是說從前，卻也不是那麼久遠以前的事情……

這是……有點奇怪的故事……

大正十二年
這一帶的火，似乎熄滅得差不多了……

（一九二三年）
還在燒的地方也還在燒喔。

九月
這真是淒慘啊……
毀滅了呢。

東京

地震來的時候是午餐時間，到處都在準備煮飯，
在灶或火爐裡生火，所以才一發不可收拾。
而且水管也壞了，滅火速度根本追不上。
但還真是淒慘啊。
火焰引發龍捲風，
把人捲了上去，簡直像在灑豆子。
喂，小鬼，你看看那棵樹。
火燒過的鐵皮纏在上頭，彷彿是被甩過去的手巾啊。

破布、腳踏車等各種東西卡在樹枝上，
樹的樣子變得很不可思議呢。

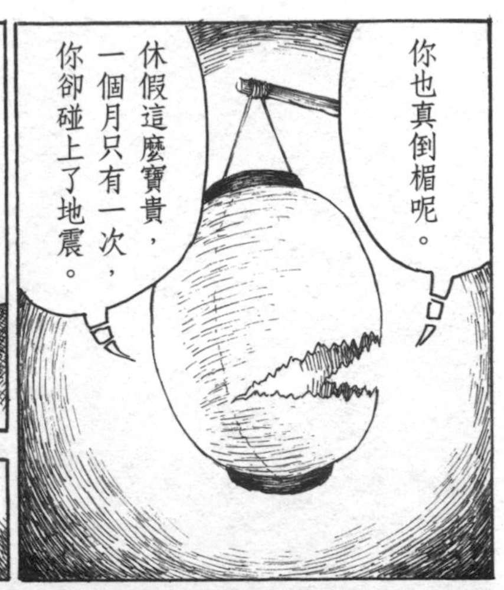
你也真倒楣呢。
休假這麼寶貴，一個月只有一次，你卻碰上了地震。

如果工廠的人都燒死了，
我反而成了幸運兒吧。

喔

那邊的人是……

領班先生。
喔，小鬼，你沒事啊。

其他人還好嗎？

我親戚在渋谷那邊有工廠，避難過後，我請他們暫時收留大家了。
大家都沒事啦。
啊……這樣啊……

話說，
夜校會怎樣呢？

似乎也有很多學校燒掉了，
暑假會延長吧。
真可惜……

這種時候還在擔心能不能讀書，你還真奇怪呢。

其他小鬼讀書也讀不出什麼屁，大多讀到一半就放棄了，你卻……
因為讀書是我的興趣。

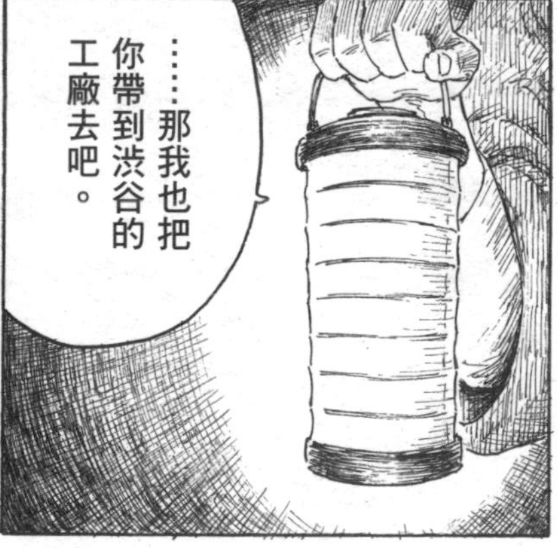
……那我也把你帶到涉谷的工廠去吧。

領班先生，在那之前，我有個請求。
什麼呀？

我爸在荒川的長屋，我想去看看他狀況如何。
嗯……
我媽病死了，爸對我來說是唯一的血親。
聽你這麼一說，我會心軟啊……

沒辦法，你就去吧。
我想你不至於會逃跑的吧。
感謝您。

傳聞說有不肖之徒在外頭晃來晃去。
應該是沒什麼好擔心的，但舉止還是要謹慎點啊。
喔……

咕嚕
嚕嚕嚕

呼……肚子餓了呢……
昨天開始就沒什麼吃…

火熄滅後，你在廢墟裡撿了一個罐頭吧？

………

搞不好爸也沒東西吃，正傷腦筋呢……

留到見面為止吧。

火好像沒燒到這一帶來。

你看，這面牆上也被畫了。
這記號聽說是種暗號，標出要投炸彈的地方。

這個是強盜，這個是縱火。
氣氛好像很可疑呢……

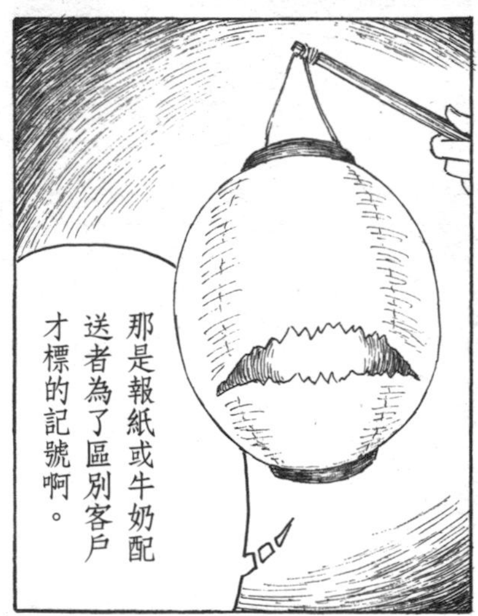
那是報紙或牛奶配送者為了區別客戶才標的記號啊。

太好了，爸的長屋似乎沒事。

……
不過沒人在呢……

大家都避難去了嗎…？

那個，不好意思，住這裡的人們去哪了呢？

荒川分洪道的堤防？
這樣啊……

非常感謝您。

砰ー
砰ー
喔？
什麼聲音啊……

那裡有朝鮮人！

什麼
啊……!?
發生什麼
事了……!?

砰—
砰—
砰—
呼
呼

小鬼，別
往那去！

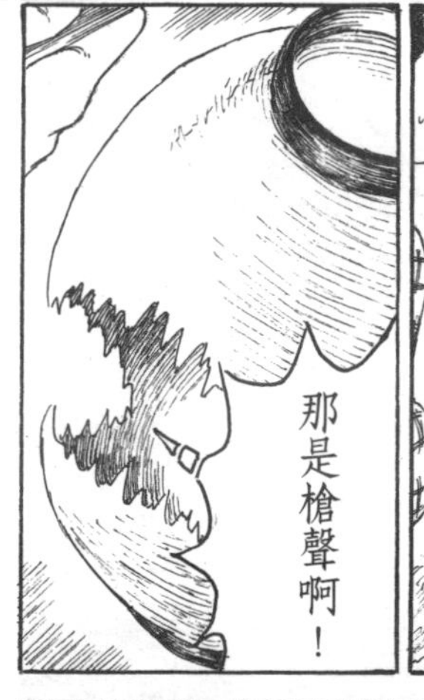
那是槍聲啊！

Abeoji
（韓文：父親）

接下來要幹嘛？
好像開始在做什麼準備？
呼
呼
呼

abeo…
！

是機關槍！
機關槍登場了！

看不到。
わー
我也想看。
わー
喂！別推。退後！退後！

わーっ
哇

ドサ
咚沙

abeoji...

Jonsu
我……不做壞事……救命……救命……

너는 살거라
你要活下去！

오지마
別來！

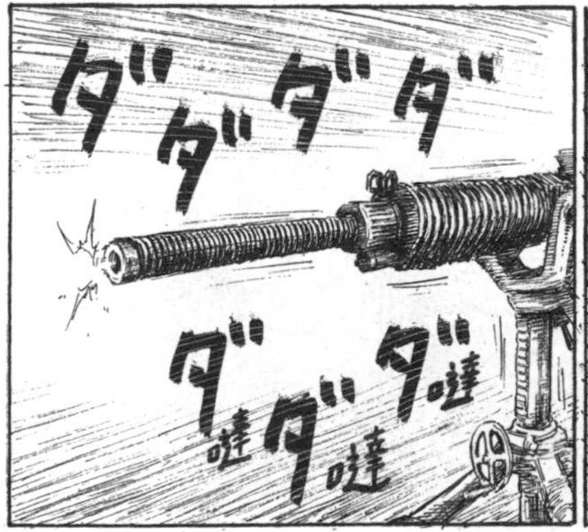
ダダダダ
ダ噠ダ噠ダ噠

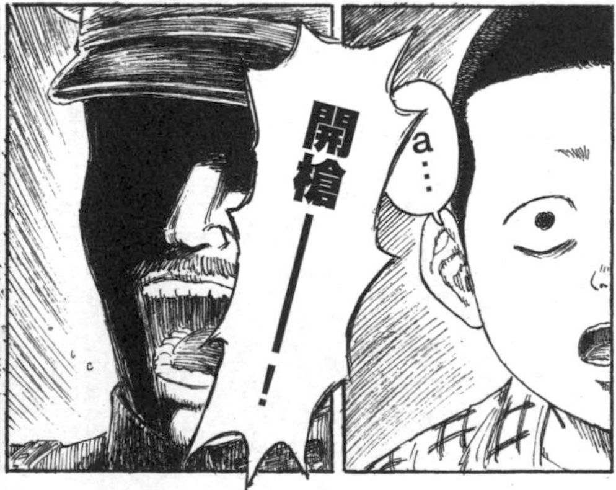
a……
開槍——！

小鬼，
站起來！
這裡很
危險！

バンザーイ バンザーイ
萬歲

バンザーイ
アイゴー アイゴー

バンザーイ
萬歲

アイゴー アイゴー
哎唷

ダダダダダ
バンザーイ
バンザーイ
噠噠噠噠
萬歲！

abeoji……
死掉了啊……

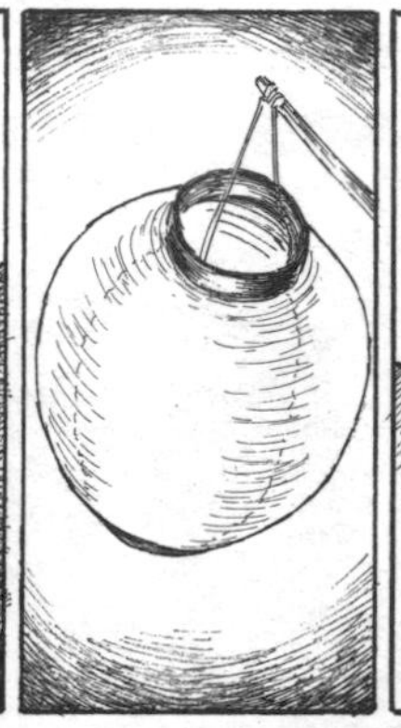

死掉了。
死掉了。

嗚

おえええ
嘔噁

呼
呼
呼

不可以放手讓軍隊或警察來幹，
我們也要上喔！

獵殺朝鮮人！

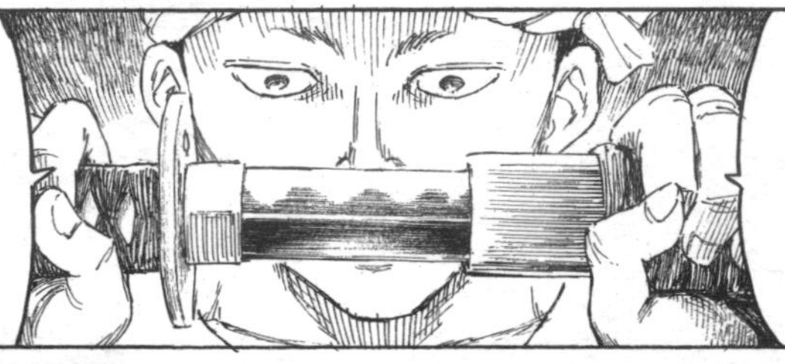
這是沉睡在我家倉庫的傳家寶刀喔……
要是沒碰上這機會，根本無法測試它的銳利度咧。

不讓它偶爾吸吸血，它就太可憐了。

喂！不覺得那傢伙很可疑嗎？

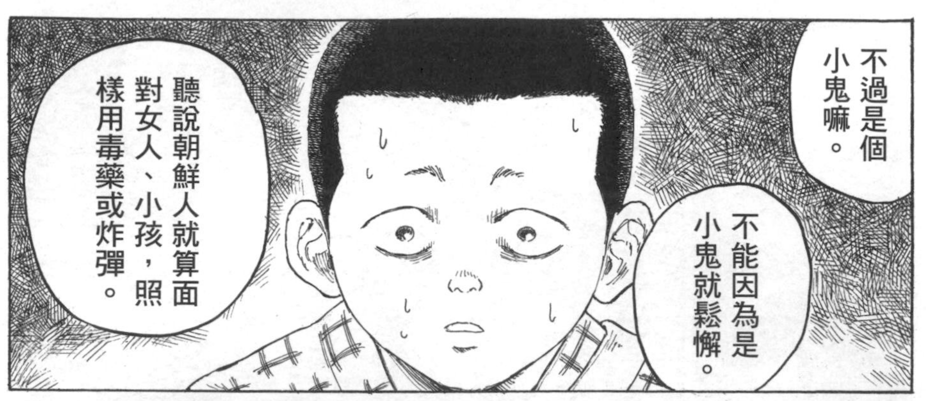
不過是個小鬼嘛。
不能因為是小鬼就鬆懈。
聽說朝鮮人就算面對女人、小孩，照樣用毒藥或炸彈。

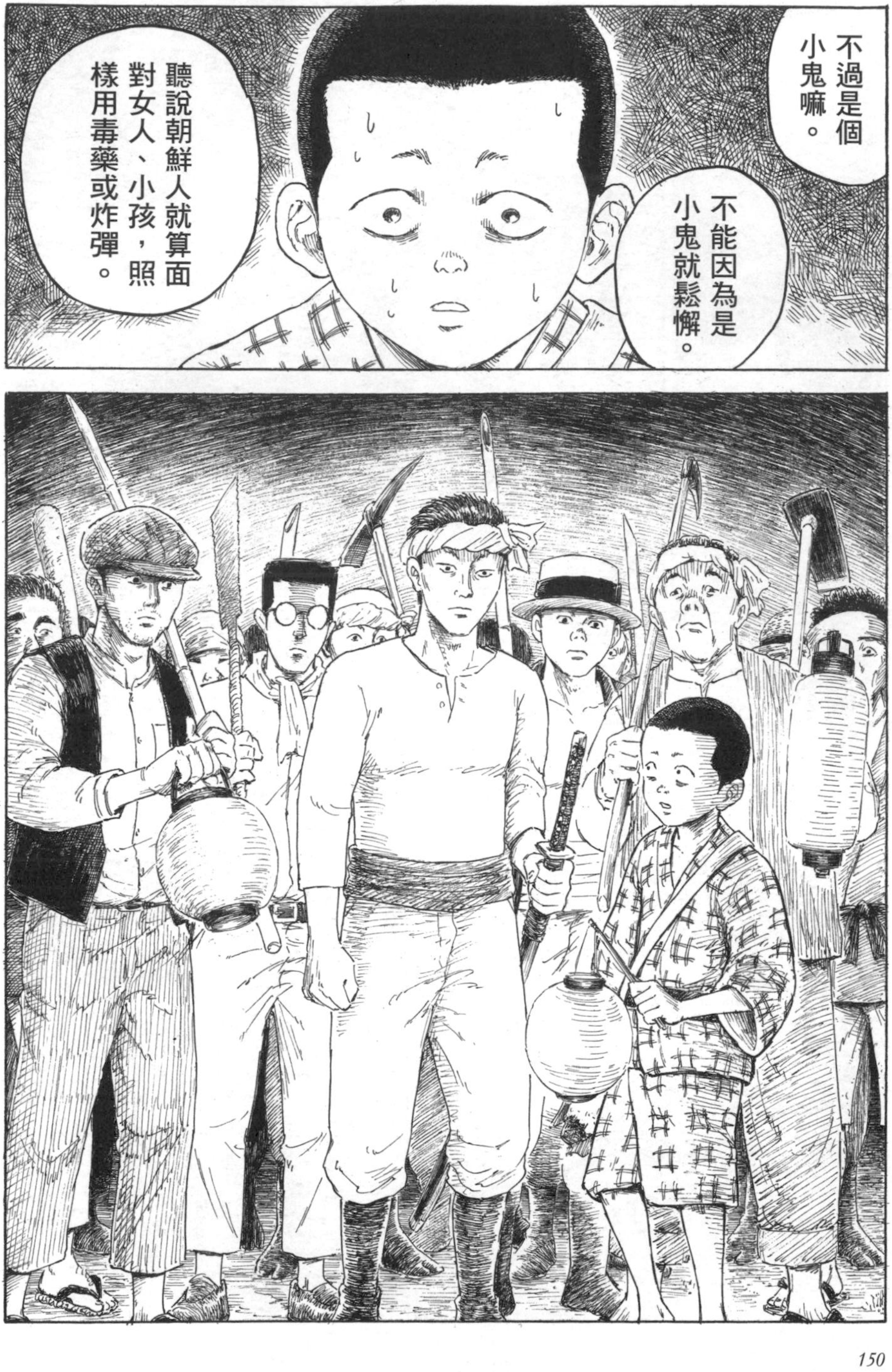

你是哪裡人？
套身份的時候，叫對方說朝鮮人無法發音的詞彙就是了。

「十五元五十錢。」說說看。

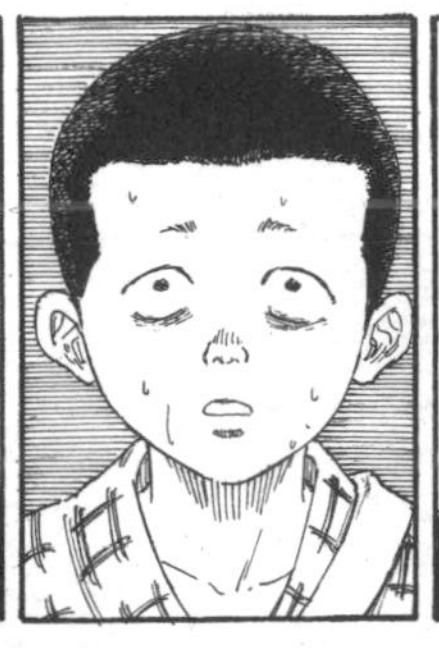

說「gagigugego、babibubebo」。

……

怎麼啦？為何不回答。
果然是朝鮮人嗎!?

動手！
幹掉他！

我是日本人。

十五元五十錢。
gagigugego、
babibubebo。

＊明治天皇頒布的教育文件，為戰前教育主軸。

話說回來，小孩子不該一個人在外頭走。
趕快回家吧。

很快就會有一大群朝鮮人湧來了。

聽說他們和社會主義者結夥，發起了暴動。
不可以喝井水喔。
因為朝鮮人下毒了。

要是在這裡死掉就沒戲唱了啊。

對……
不管怎樣，我都得活下去……

잠깐
等一下！

我叫Chan Jonsu。
是朝鮮人。

씨발
媽的。
왜 이런 말을 해
야되는 거야
為什麼我非得說這些
話不可啊。

我並沒有加
害任何人。

我爸剛剛在那
裡被殺了。
他不是會做
壞事的人。

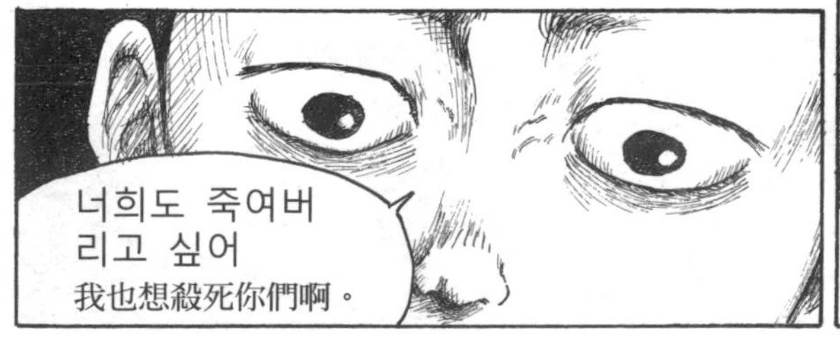
너희도 죽여버
리고 싶어
我也想殺死你們啊。

我爸原本是農民，後來土地被日軍搶走。
他變得很窮，就離開了朝鮮。

我擅長說日文，想幫上爸爸的忙，
所以一起來到日本。

因為我們以為日本有希望可以追尋。

큰 착각이었어
我們大錯特錯

希望你們在犯錯之前明白一件事。
我們朝鮮人在這個國家的數量很少，是站在弱者的立場。
我們才不會發動叛亂。

大概是有人搞錯了什麼，才有謠言四處流傳。

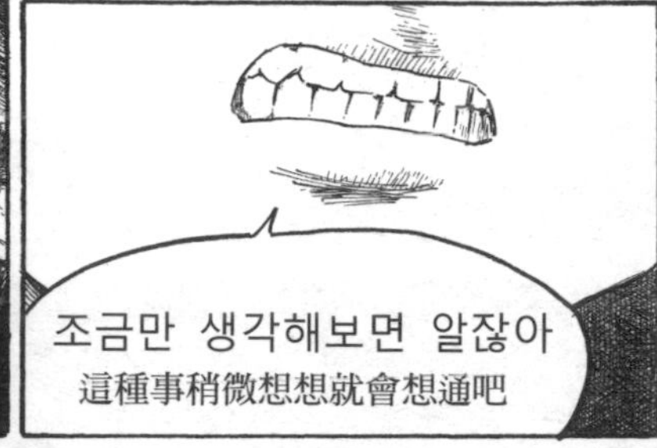
조금만 생각해보면 알잖아
這種事稍微想想就會想通吧

拜託你們……
沙…

叩

不要再……
從我們這裡奪走東西了——
叩隆
叩隆
叩隆
叩隆
是炸彈!!

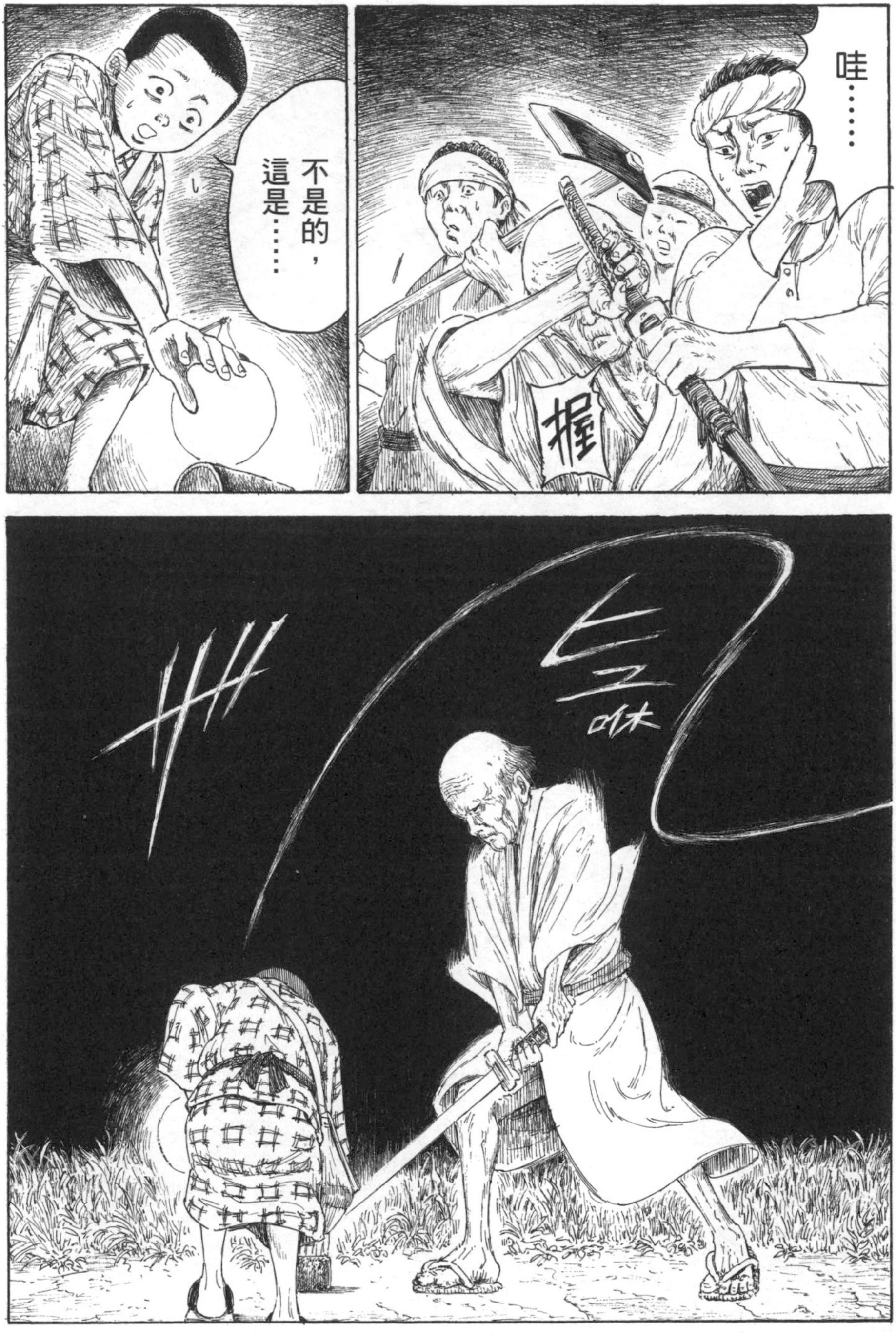

咻

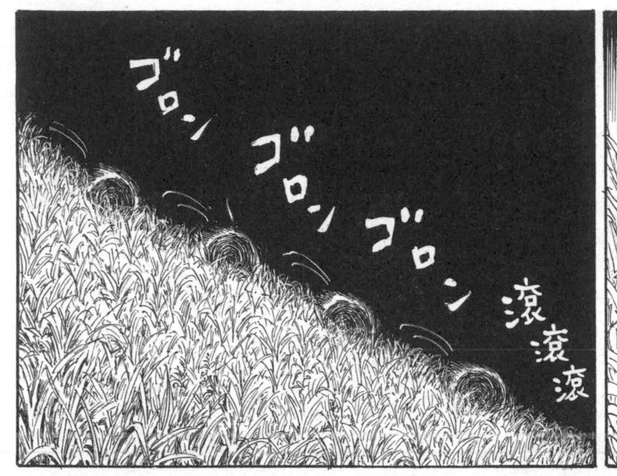
ゴロン
ゴロン
ゴロン
滾滾滾

ド
咚

哎呀，嚇到我了。
真是幹得漂亮。
竟然一刀就砍斷脖子。
真厲害的刀法。
這刀子還需要再養護一下喔。
好……好的。

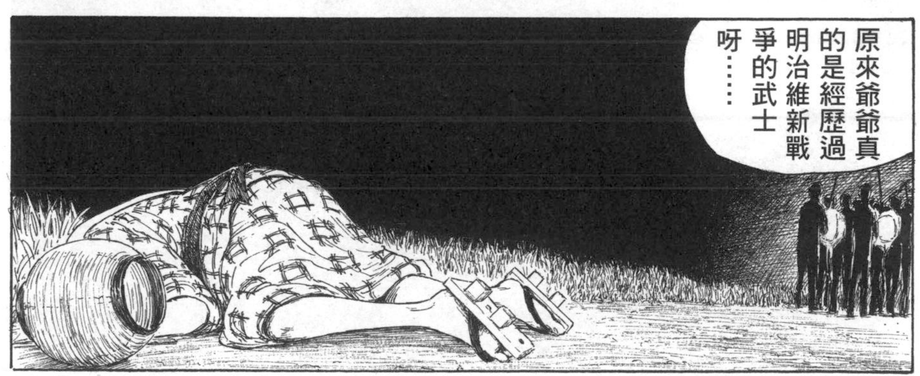
原來爺爺真的是經歷過明治維新戰爭的武士呀……

真的要這樣作罷嗎……

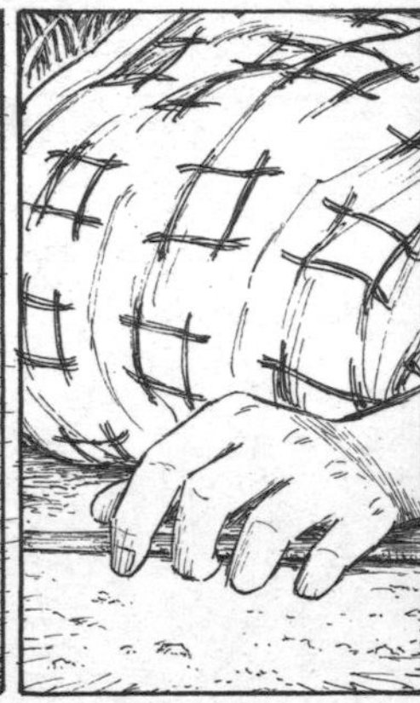

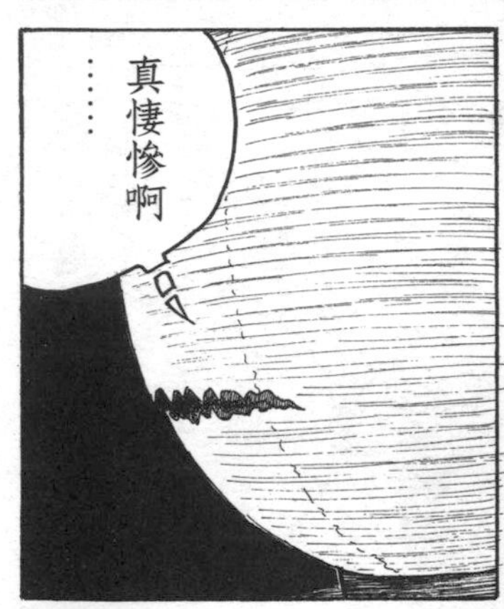
真悽慘啊……

生命……或靈魂……
他竟然被迫選擇其中一樣呀……

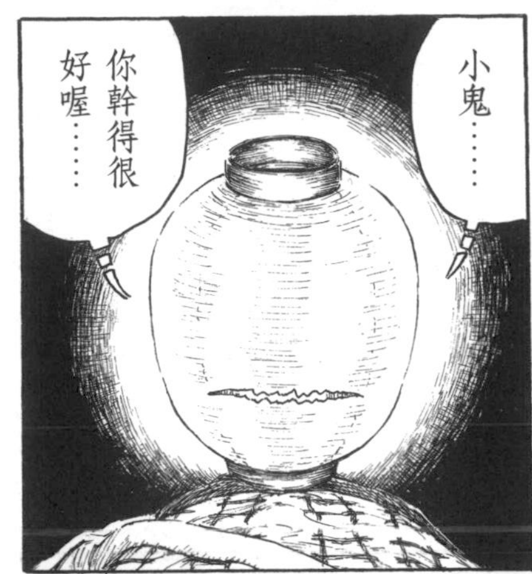
小鬼……
你幹得很好喔……
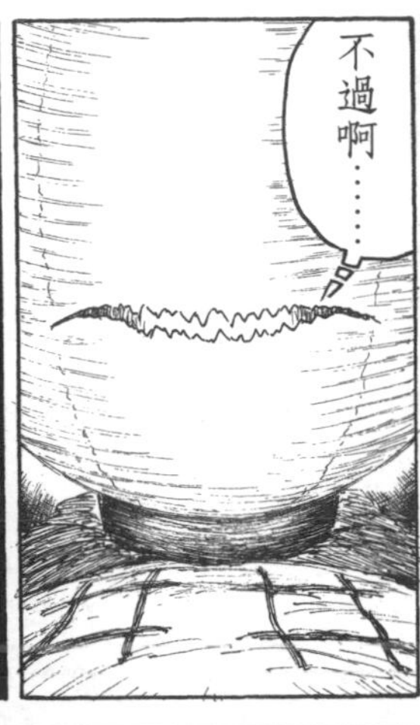
不過啊……

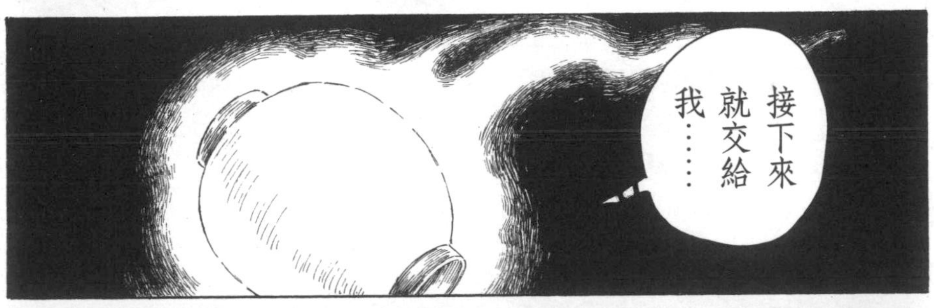
接下來就交給我……

ピクッ
抖

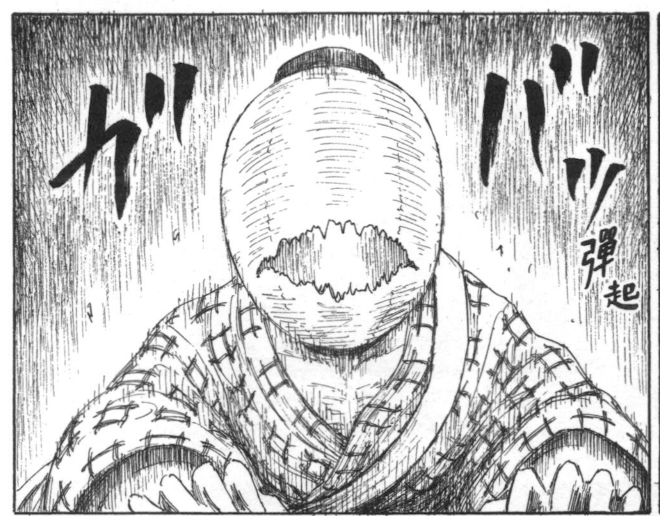
ガバッ
彈起

嘔噁——
ビチャビチャビチャ

咳咳
咳咳

呼
呼
呼

呼……

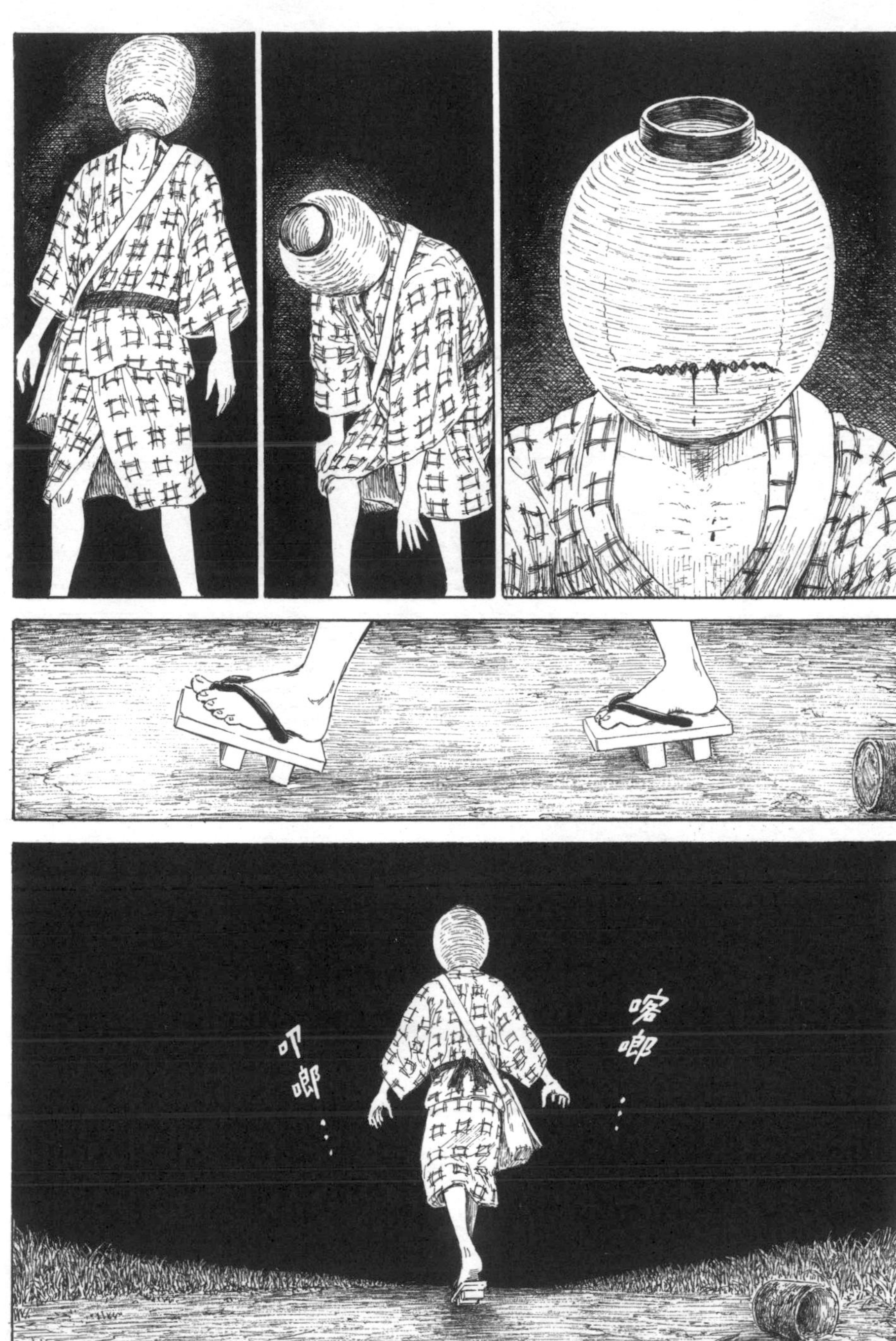
喀啷……
叩啷……

那應該是傍晚六點左右的事。四面八方都有日本人手持日本刀、火鉤、鋸子奪門而出。

但我們完全不知道那代表什麼意思。

不久後傳來「殺死朝鮮人」的聲音。

九月一日傍晚五、六點左右，大約三名憲兵來到原野上的東武線平交道。

憲兵朝蓮花田內砰砰砰地擊發手槍，並向難民下令：「朝鮮人投了藥物到水井裡頭。看到這種朝鮮人格殺勿論。」

（略）因此大家群情激憤了起來，在田壟上把朝鮮人給……（略）屍體真的是不堪入目。

消防隊來了四個人，用繩子將我們一個個全綁在一起，然後這樣說喔：「我們要走了。如果敢切斷繩子，就宰了你們。」我們靜靜待著，結果晚上八點左右，對面荒川站（現在的八廣站）方向的堤防開始鬧哄哄的，沒想到他們是在殺朝鮮人。（略）

橋上塞滿屍體。堤防那裡也到處堆滿屍體，像一座薪柴之山。

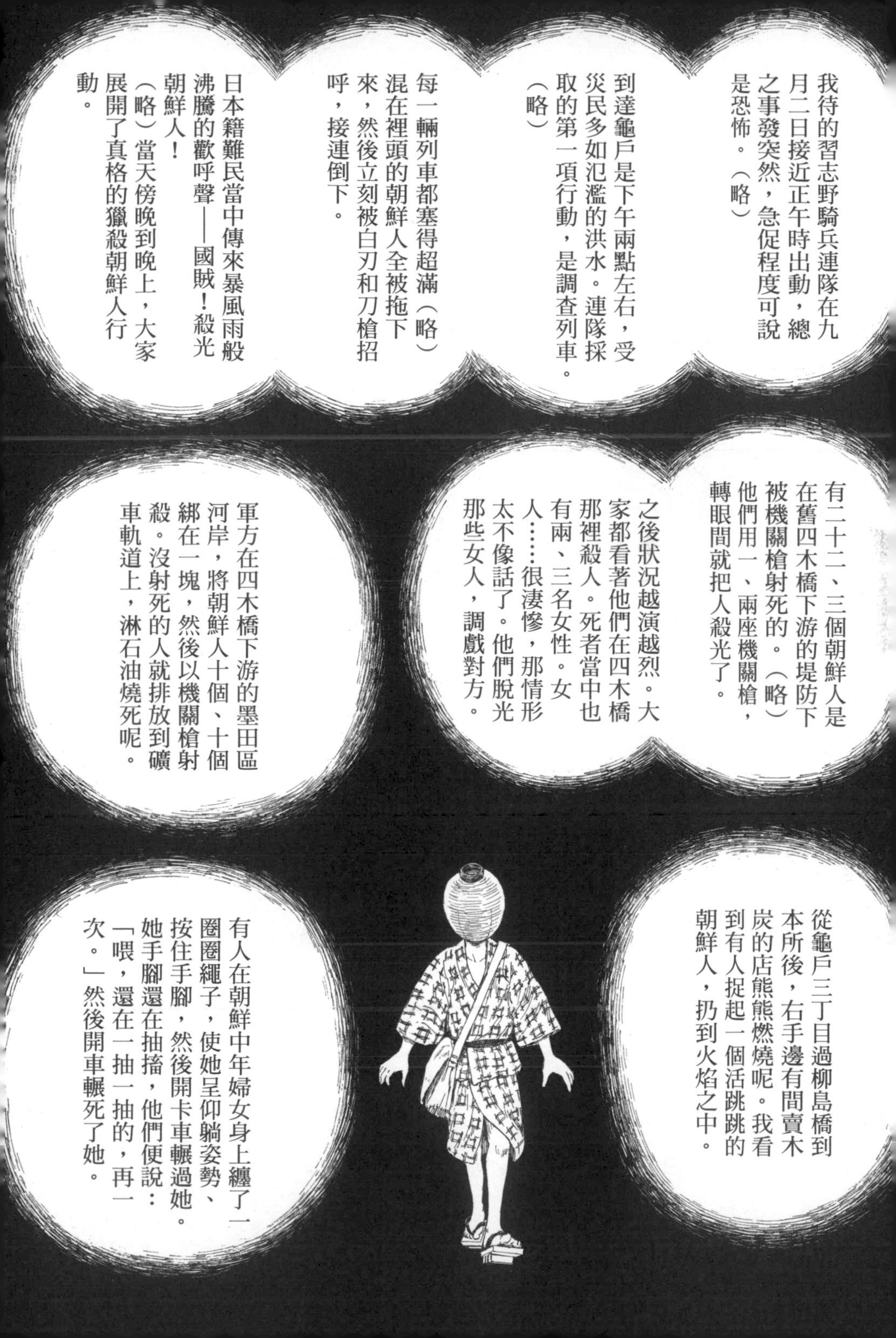

我待的習志野騎兵連隊在九月二日接近正午時出動，總之事發突然，急促程度可說是恐怖。（略）

到達龜戶是下午兩點左右，受災民多如氾濫的洪水。連隊採取的第一項行動，是調查列車。（略）

每一輛列車都塞得超滿（略）混在裡頭的朝鮮人全被拖下來，然後立刻被白刃和刀槍招呼，接連倒下。

日本籍難民當中傳來暴風雨般沸騰的歡呼聲——國賊！殺光朝鮮人！（略）當天傍晚到晚上，大家展開了真格的獵殺朝鮮人行動。

有二十二、三個朝鮮人是在舊四木橋下游的堤防下被機關槍射死的。（略）他們用一、兩座機關槍，轉眼間就把人殺光了。

之後狀況越演越烈。大家都看著他們在四木橋那裡殺人。死者當中也有兩、三名女性。女人……很淒慘，那情形太不像話了。他們脫光那些女人，調戲對方。

軍方在四木橋下游的墨田區河岸，將朝鮮人十個、十個綁在一塊，然後以機關槍射殺。沒射死的人就排放到礦車軌道上，淋石油燒死呢。

從龜戶三丁目過柳島橋到本所後，右手邊有間賣木炭的店熊熊燃燒呢。我看到有人捉起一個活跳跳的朝鮮人，扔到火焰之中。

有人在朝鮮中年婦女身上纏了一圈圈繩子，使她呈仰躺姿勢、按住手腳，然後開卡車輾過她。她手腳還在抽搐，他們便說：「喂，還在一抽一抽的，再一次。」然後開車輾死了她。

那是白天很長的時節，不過隨著時間過去，四周漸漸變得昏黃，人們的臉色也隨之陰沉下來。如今徹底入夜了。義警團那閃爍的燈籠火光，道出悽愴。

（略）「宰掉他們！宰掉他們！」大批人馬包圍河流，拿著各自的武器搥打、戳刺黑黑的東西。不久後，黑黑的東西被火鉤拖到馬路上，我走到前面一看，發現那黑黑的東西是人……

該說令人鼻酸，還是悽慘呢？那人的臉也好、身體也好，都佈滿了割傷、扎傷、刺傷，從中汨汨流出腥味很重的血，他氣若游絲……

三日大約中午時分，大批軍人、警察、青年團、浪人來到八丁目的宿舍說：「有錢的傢伙可以回國，跟過來。」他們帶走一七四人，到附近的空地去。

「地震了！趴下！」他們這麼說，讓我們所有人趴下，再用手中的棍棒、火鉤、十字鎬擊殺我們。他們誤以為被打昏的我已經死了，就把我扔到一旁。

軍人殺人時，都會高呼萬歲、萬歲喔。殺戮地點的草地被染成一片漆黑。

我們在消防隊員的包圍下，朝寺島警察署移動。途中有人大喊：「朝鮮人要往那裡逃跑囉！」接著所有人全撲了上來，我的同胞在慘叫聲中遭到虐殺。

肩負警備任務的望月上等兵和岩波少尉前往受災地，在小松川指揮士兵殘虐兩百名毫無抵抗、溫順服從的朝鮮勞工。

婦人被拉住腳，施以裂股之刑，有人被鐵絲纏住脖子後扔進池塘裡，先折磨再殺死。其他人對這無數虐殺行動寄予極負面的公評，認為這實在太不符合常識了。

「喂——喂——」他們向彼此呼喚，好包圍目標，避免這些人逃掉，然後用木棍或鐵棒毆殺。如果沒打死，年輕的魚鋪員工就會跨坐到對方身上，拿殺魚刀自胸口劃到那話兒為止，再用木棒之類的東西把內臟挖出來。（略）

在雨宮原殺死的屍體都扔到了池塘裡。（略）朝鮮人的屍體吸水膨脹，鼓鼓地漂浮在水上，因此小孩子會半開玩笑地拿石頭扔它們。

左側的剛被打中，所以都在痛苦掙扎，出血量正多。一片紅通通的，就是說，血沒溶化，都漂在表面。右側的先被射擊，出血已經變少了。

朝鮮人和東洋薄呢的罷工女工勾結、朝鮮人偷竊等各種傳言四起，於是大家展開了類似獵殺朝鮮人的行動。

朝鮮人也逃進了蓮花田中。他們用竹槍刺死蓮花田中的朝鮮人，我看到兩、三個人被這手法殺死。

在蓮花田遇害的其中一個人是女人，我看到了他們捉住她再殺死她的過程。她雖然搓著手道歉，但大家都很激昂，還是動手了。我看到他們滾動田溝裡的她，拿竹槍刺穿她的要害，殺死了她。

「三日」火車緩緩通過赤羽站，駛上荒川堤防時，我看到異常密集的人群。

那是四、五百個群情激憤的日本人，正要將一個雙手被反綁在身後的十四、五歲朝鮮少年拖上堤防。

地面上倒臥著一整排屍體，據信是朝鮮人的。他們拿石頭砸屍體的頭，一面罵混帳東西、混帳東西，砸到頭都爛掉了。捉到活的朝鮮人，就拿白刃劃開他的背部。男人咚一聲倒下。切口一開始看起來白白的，不久後血噴濺而出。

聽說其中一個青年會員掀開竹蓆想看看下面有什麼，結果嚇了一跳。

那些傢伙在下面疊成一長排在睡覺啊，像鹽漬鮭魚似的。他這麼說，青年會員便聚集起來，將他們戳得稀巴爛。

當時和我們一起被拘留在淀橋署的朝鮮人當中，應該有四個左右關到一半就被砍斷頭、切斷腳，真的死得很淒慘。

有十六個人完全被殺死了。五、六十個人僵在那裡，都半瘋了。

他們大呼小叫，說朝鮮人逃進電影院了，於是大家追了過去。朝鮮人撐不住，逃到屋頂上去，他們便從下面拿獵槍把朝鮮人打下來，砰砰砰地。群眾為了屍體聚集過來，個個手中都拿著石頭，朝屍體砸去。屍體都變得稀巴爛，簡直像蜂窩似的。

我在荒川渡（船）口附近靠赤羽那裡，目擊了二、三十具屍體浮在河上。我記得有人說那是朝鮮人的屍體。我還在上野車站看到渾身是血的朝鮮人塞滿卡車。

到了半路上的車站，有人發芋頭給受災戶當作慰問品，車上有個人收下芋頭後沒動它，結果有人開始大喊：「朝鮮人才不吃芋頭。」

四、五個壯漢（略）將逃到隔壁車廂的男人拖回來，粗暴地對待他，朝頭啊、身體啊、各種地方猛揍、猛踢，最後男人吐血而亡。

車廂內旁觀的人相當多，他們大喊「萬歲」等等的，開心極了。

他們用鐵絲將血淋淋的朝鮮人綁在一起，四個、十個左右一組，帶過來後放倒在地，用火把壓住他們，然後倒了一升的石油——那時我以為是水，結果火燒了起來，這時候他們真的痛苦極了。

有誰掙扎，他們就用火把壓住對方，異口同聲地說：「這些傢伙殺了我們這麼多兄弟和親子啊。」他們的眼睛都充血了。

有人在白髮橋上被日本刀一刀凌遲，然後踢落到大河裡。

「二日，在永代橋」過完橋後的橋邊，有被殺害的朝鮮人的屍體。橋頭的派出所被砸得亂七八糟，六、七具朝鮮人屍體倒在地上，身首異處。

我看到五、六個裸體男子被鐵絲綁住，有幾十個穿工作服的男子拿著刀或鐵棍，邊戳裸男邊走路。很快地，他們來到木炭燒剩的火堆前面，抓住被綁住的裸體男子的手腳，開始將這些人扔進火中。（略）

在同一天，我前往岸壁邊，發現十個左右的裸男被鐵絲綁起，一個接一個被扔進海中。

那些人被拖行在地上，背部都破皮了呢。他們把那些人帶到堤防那裡，然後用日本刀砍。人的脖子不是很容易砍斷。刀一下，大約砍斷一半，血液四濺。我看到他們斬殺了雙手合十求救的人。

到處都有朝鮮人被扔進河裡，死屍累累，河流變成了血河。

義警逮住他盤查，推他一把然後說：「你是朝鮮人吧。唱〈君之代*〉來聽聽！說『十元五十錢』來聽聽！」在一旁的警察也拿警棍揍他的背。

*日本國歌。

之後，他雙手被綁在身後，帶到荒川分洪道。（略）「你這混蛋、惡魔！朝鮮人！」這麼說的主婦身穿割烹服，拿竹槍刺了刺A的右腳。

就在他動彈不得的時候，接著又有個拿火鉤劈向男人背部，另一個穿工作褲的男人也拿日本刀砍他的肩頭。（略）

大約一個小隊的人數，也就是二、三十個人呢。步兵要他們排成兩列，然後開槍打他們的背部，也就是從身後開槍呢。兩列橫排，因此是二十四個人呢。像這樣的虐殺行動持續了二、三天。

後來他被憲兵隊帶到習志野去，在那也受到了嚴酷的拷問。

我來到池袋附近，結果迷路了，向普通人問路的下場很慘。我特意找女孩子問路，但她報路後大喊：「朝鮮人要往那裡過去了。」

他們開始叫那些人一個一個依序念出伊呂波順*。念到一半卡住的話，他們就會痛罵：「你這混帳！」不問青紅皂白地毆打、痛踹那些毫無抵抗男人，最後還抓起他們的頭砸向牆壁，砰砰地，折磨他們。

*日文假名的一種排列順序。

這陣子半夜會傳來不可思議的「萬歲、萬歲」之聲，我總算知道它真面目了。從那聲音來判斷，大約有二、三十人遭到虐殺吧。

帶尋找朝鮮人，朝對方扔石頭然後大喊萬歲、萬歲，到處走到處殺。

無人煙的地方倒著無頭的朝鮮人屍體。

我在熊谷寺看著他們從活到死的過程。寺廟的庭院內，大致形成了五個「複數日本人包圍一個朝鮮人」的集團。

每次殺人他們都會發出「哇！哇！」或「萬歲、萬歲」的歡呼。

「給我說十元五十錢！」男人們包圍我，詰問我，一把竹槍抵著我的側腹。「十元五十錢，我是日本人，我是日本人。」我好不容易把這句話說完，但兩隻腳不住發抖，束手無策。

指揮者大概是覺得槍聲會讓附近的人感到恐怖，所以下令改用刀劍殺人，不用槍枝。接著，軍人們一起拔刀，同時動手殺了所有人，共八十三名。

有位女性這時懷有身孕。他們切開女人的肚子後，腹中嬰兒跑了出來。但嬰兒會哭，所以他們連嬰兒都捅死了。

附近有寬六呎左右的排水道，被一大堆屍體堵住，都排成四、五列了。（略）

最恐怖的是懷孕女子的屍體。她被鐵絲綑綁起來，肚子被人剖開、塞滿石頭，扔在排水道裡。

聽說他們正在殺朝鮮人，所以我和小行跑去看了。結果發現，路邊有兩個人被殺了。明知可怕，我們還是在好奇心驅使下湊到旁邊去，發現他們頭被打破，血肉模糊，上衣都被血染紅了。大家都拿竹棍戳他們的頭，說：「可恨的傢伙，這就是昨晚鬧事的傢伙。」他們恨得牙癢癢似地對死者吐口水，然後走了。

有人睡在電車駕駛座下面掛的網子裡。結果某人看到他就大喊：「是朝鮮人！」那個人嚇了一跳，拔腿就跑。憲兵追上去，賞了他頭一棍啊。

那個人，擠出最後的力氣，從口袋中取出一個木牌。那是車掌證明書。

第三天傍晚下著雨，荒川橋那裡死了〇〇〇〇〇人。看到那畫面，我毛骨悚然，結果在荒川橋那裡迷了路，邊哭邊到處亂繞。

我所屬的義警團也有平常文靜的傢伙，在那時還真的抄起了家裡的刀子。刀子在手，就會想要設法砍人。（略）有人把朝鮮人帶到羅漢寺來，他們就砍那些朝鮮人啊。當真砍了朝鮮人的手示眾，還有人試圖斬首。真的化身成了野獸呢。

多麼殘忍的殺人方式啊。他們用日本刀砍，用竹槍戳，用鐵棍捅，就這樣殺人呢。女人照捅不誤，而且當中還有挺大肚子的呢。就我所見，他們殺了三十個人左右。

村內也有人被砍死，就跟電影場景一樣啊。我看到有人邊說「救命啊」邊逃，卻有人追上去砍他。

逃跑者雙手按著後腦勺，握刀者砍過去，於是砍斷了手指，血噴了出來。

有個同鄉，才剛在文先生父親的幫助下來到日本。這人說「朝鮮人才沒做什麼壞事」，不聽文爸爸制止，撇下一句「我要去抗議」便出門了。

幾分鐘後，一群日本人扛著文爸爸的朋友通過我們面前，他的頭被竹槍之類的傢伙刺穿了。

我走著走著，看到有朝鮮人被綁在一棵挺立於平地的樹上，肚子被人拿竹槍噗嚓噗嚓也捉（戳），還被

有個男人被粗鐵絲綁在靠海岸的電線桿上。（略）全裸，連薄薄的衣物都沒穿，渾身是血，悽慘無比。（略）

電線桿上貼了一張紙，上頭寫著：「這男人是大壞蛋，請拿下面的鋪路石敲他一下再通行。」（略）

抵達橫濱站前，我還看到了七、八個下場相同的人。

孩子們會說「今天也有朝鮮人被殺喔」，然後結伴去看。我就去過。

（被龜戶警察拘留後）他們會發給每個人飯糰，一天發三個。那，三十人就是三十個。不過有人會好幾天不吃東西。如果有人多吃，查一下就會查出來了對吧。他們會把那個人拖出去宰掉啊。

警官調查後釋放朝鮮人，但義警團還是不饒人，二、三個一組拿鐵棍扁他。男人發出咿咿慘叫，走了四、五步就砰一聲倒下了。其餘大批人馬趁勝追擊，用鐵棍打他，然後看準時機，把人拋入還沒熄滅的火堆中。這招他們一用再用，一用再用。

我們處理的屍體，有被火燒死的，也有被火鉤或刀子殺死的。兩者有明顯的差別。光是看外形和體格，直覺就會告訴我被虐殺的人是我的同胞。而且不僅如此，任何人都能看傷勢區辨出來。就連幼小的孩子都被殺了。

朝鮮人接連被帶出房外，一次帶三人或五人，一批批帶到昏暗的室外。（略）他們的做法就跟抓走被遺棄的小貓、小狗沒兩樣。許多人似乎都已經徹底死心了，無比順從、垂頭喪氣地讓他們拖到死之庭院去。

「聽說朝鮮人是世界上最壞的壞蛋。」「可以把朝鮮人全打死吧？」

那些小孩子長著可愛的臉蛋，卻說出那麼恐怖的話。

我們的山上住著一些〇〇人。七十七番地的青年團跑過來，把那些〇〇人殺死了。

水井的外牆上有白墨畫的奇怪符號，據說那是朝鮮人對水井下毒的記號。

我整個啞口無言。老實說，那所謂的奇怪符號，是我畫的塗鴉。

槍聲一直響到三點左右，幾乎沒有停過。

挺著大肚子、感覺就快生產的女性，肚子被人綁了起來，還被拋到水中。後來小孩生了下來，臍帶連接著母子。

晚上又有朝鮮人騷動，嚇了我們一跳。我們當時帶著三尺多的棒子，正在更遠處釘釘子。後來我們到處去看，發現地上只掉著朝鮮人的頭。我原本還忘了一件事，據說在那叫大六原（音譯）的地方，死了兩百個人。

我望著下榻處的窗外時，有一群青年拿著鐵製金剛杖似的玩意兒正好通過，我聽到了他們說話的聲音。

他們邊笑邊說，在神田刺穿朝鮮人孕婦的肚子時，對方大喊：「abeoji、abeoji」。「不知abeoji是什麼意思呢？」

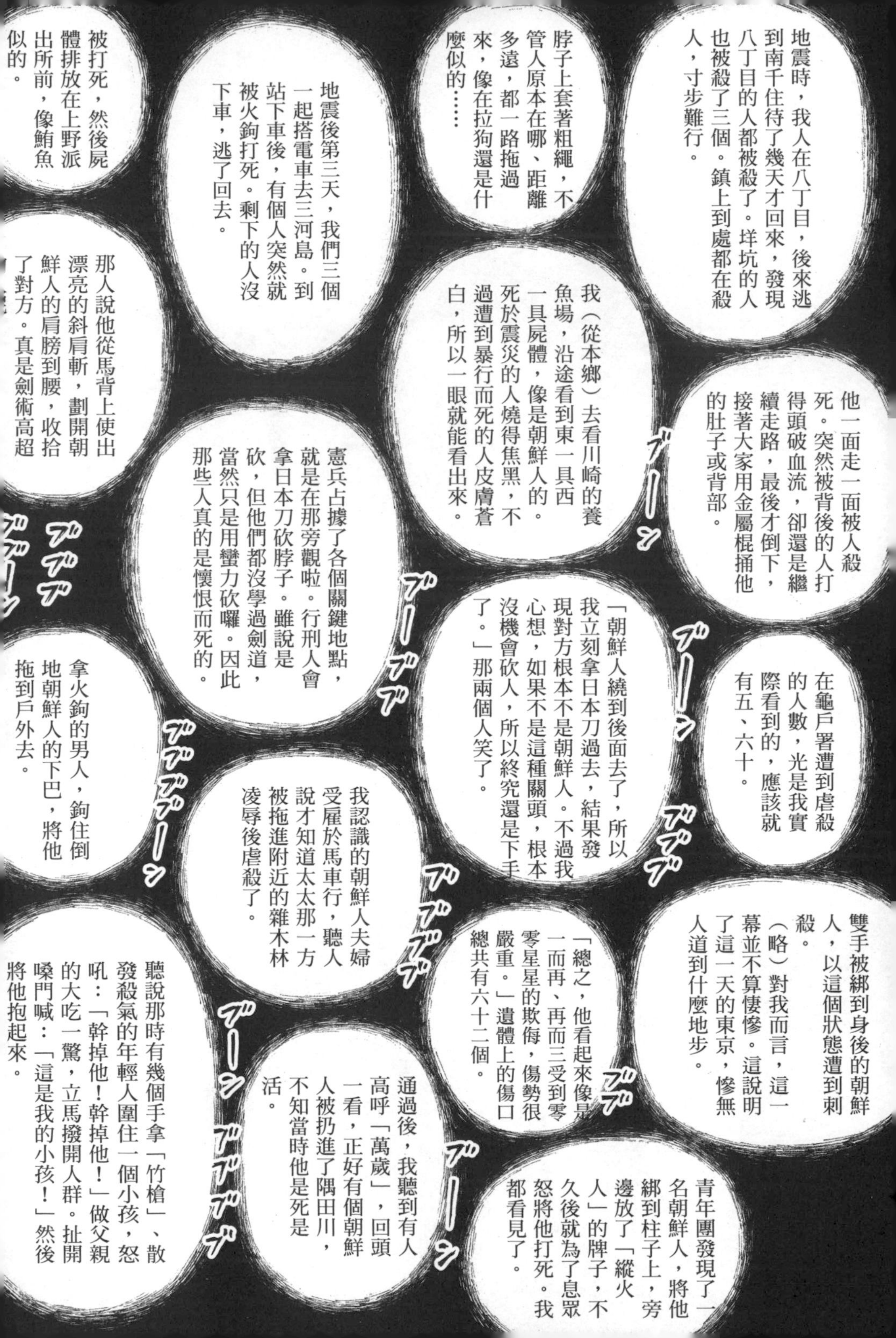

地震時，我人在八丁目，後來逃到南千住待了幾天才回來，發現八丁目的人都被殺了。垟坑的人也被殺了三個。鎮上到處都在殺人，寸步難行。

脖子上套著粗繩，不管人原本在哪、距離多遠，都一路拖過來，像在拉狗還是什麼似的……

地震後第三天，我們三個一起搭電車去三河島。到站下車後，有個人突然就被火鉤打死。剩下的人沒下車，逃了回去。

被打死，然後屍體排放在上野派出所前，像鮪魚似的。

他一面走一面被人殺死。突然被背後的人打得頭破血流，卻還是繼續走路，最後才倒下，接著大家用金屬棍捅他的肚子或背部。

我（從本鄉）去看川崎的養魚場，沿途看到東一具西一具屍體，像是朝鮮人的。死於震災的人燒得焦黑，不過遭到暴行而死的人皮膚蒼白，所以一眼就能看出來。

那人說他從馬背上使出漂亮的斜肩斬，劃開朝鮮人的肩膀到腰，收拾了對方。真是劍術高超

憲兵占據了各個關鍵地點，就是在那旁觀啦。行刑人會拿日本刀砍脖子。雖說是砍，但他們都沒學過劍道，當然只是用蠻力砍囉。因此那些人真的是懷恨而死的。

在龜戶署遭到虐殺的人數，光是我實際看到的，應該就有五、六十。

「朝鮮人繞到後面去了，所以我立刻拿日本刀過去，結果發現對方根本不是朝鮮人。不過我心想，如果不是這種關頭，根本沒機會砍人，所以終究還是下手了。」那兩個人笑了。

拿火鉤的男人，鉤住倒地朝鮮人的下巴，將他拖到戶外去。

我認識的朝鮮人夫婦受雇於馬車行，聽人說才知道太太那一方被拖進附近的雜木林凌辱後虐殺了。

雙手被綁到身後的朝鮮人，以這個狀態遭到刺殺。（略）對我而言，這一幕並不算悽慘。這說明了這一天的東京，慘無人道到什麼地步。

「總之，他看起來像是一而再、再而三受到零零星星的欺侮，傷勢很嚴重。」遺體上的傷口總共有六十二個。

青年團發現了一名朝鮮人，將他綁到柱子上，旁邊放了「縱火人」的牌子，不久後就為了息眾怒將他打死。我都看見了。

通過後，我聽到有人高呼「萬歲」，回頭一看，正好有個朝鮮人被扔進了隅田川，不知當時他是死是活。

聽說那時有幾個手拿「竹槍」、散發殺氣的年輕人圍住一個小孩，怒吼：「幹掉他！幹掉他！」做父親的大吃一驚，立馬撥開人群。扯開嗓門喊：「這是我的小孩！」然後將他抱起來。

不久後，群眾推開警察，把那男人搶回來，扔進附近的池子裡。有三個人拿來粗圓棍，像搗麻糬那樣啵啵啵地搥打他。

不相信朝鮮人叛亂，是他們所謂非國民才有的態度。檢察官怒吼：「警察認定的事情，你要否定是嗎？」

我目擊了以下場面：街道上有個原本不知裝什麼的大箱子，他們拿來蓋住他，然後從縫隙伸竹槍進去刺死了他。

他是從正面砍人嗎？並不是。是從後面。

大部份的人都知道殺害朝鮮人的事情，但對於這種報導不感興趣，因此沒有成為新聞。

「明明是員警，卻要挺朝鮮人嗎？你這混帳！」有人這樣說，接著立刻有根棒子打向員警的臉。

在那裡的人們大喊「喂！朝鮮的女人逃過來了」，突然就抓住我，想把我扔進火中。

震災時，軍隊殺害了許多朝鮮人。這件事，就算在夢中也不能提起。

殺第一個人時的感覺很差勁，但到了第三、第四個，數量漸漸累積後，良心就會麻痺，反而會有一種痛快的感覺。

為了躲避刀子的致命攻擊，我伸出左手接刀。於是我的小指就被切斷、飛走了，你現在看也看得出來。

我曾經在月島的某家飯館工作，那裡有二十個左右的朝鮮人，當中十九人遭到虐殺。（略）其中一個人被釘死在牆上。

會用火烤他們呢。皮膚被燒，就會變成茶褐色的。被火燒的朝鮮人會發出慘叫，已經變得無比虛弱的慘叫。

離開母國時有三百個人，活下來的只剩十九個。

大人們一天之內就變了個樣，平常很溫柔的叔叔伯伯們開始面不改色地殺人。

我看到有一具被竹槍刺殺的屍體仰躺著，赤身裸體地披著一件印有商號的外衣。（略）那屍體吸引了一大群蒼蠅，像泡過水似地膨脹。

那些人看起來像在鄉軍人或義警團員，他們的弓形把提燈或圓燈籠點得到處都是，似乎很忙碌。接著，我就算不定睛細看，也看得到那一帶散落著一大片人類的屍骸，從白色河原到綠色大土堤的斜面上，滿滿的都是。河面上的微風，將令人發毛的濃密惡臭吹了過來……

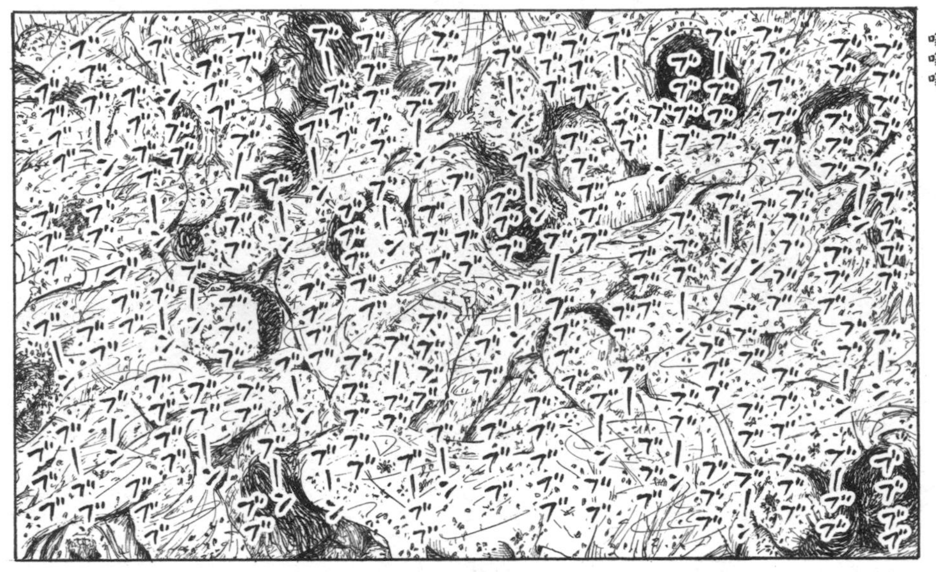
嗡嗡嗡

喂！搞屁啊，快點火啊……
在試了啊！完全點不著啊……！
點著了也會馬上熄掉……

嘔……
不行了……
好難聞的味道……
啊——該死！
受不了了。

我要退出！
我也是……
太賊了吧……
這種工作，一天付五塊錢我也嫌便宜啦……

嗡嗡嗡
啪哩
啪哩啪哩
啪哩啪哩
ゴオオオオ
轟轟轟轟轟轟

轟
轟
轟
轟
轟
我不會熄掉這火的喔……
不會讓它熄掉喔……

這燈火……
不能熄……
喂……怎麼啦……？
漏尿了啊……

引用文獻

《〔普及版〕關東大震災　朝鮮人虐殺紀錄——來自東京各地區的1100個證言》西崎雅夫（現代書館）

《風啊，將鳳仙花之歌傳出去吧》鳳仙花（Korokara）

《九月，在東京路上》加藤直樹（Korokara）

參考文獻

《關東大震災》吉村昭（文藝春秋）

《〔新版〕關東大震災・虐殺的記憶》姜德相（青丘文化社）

《民眾暴力——起義・暴動・虐殺的日本近代史》藤野裕子（中央公論新社）

《被隱瞞的歷史——關東大震災與埼玉的朝鮮人虐殺事件——》
關東大震災五十週年朝鮮人犧牲者調查追悼執行委員會編
（關東大震災五十週年朝鮮人犧牲者調查追悼執行委員會）

《詭計　想要假裝「朝鮮人虐殺」不曾存在的人們》加藤直樹（Korokara）

《關東大震災朝鮮人虐殺－攝影報告》裴昭（影書房）

韓文臺詞翻譯　尹勝鏞

ようきな
やつら

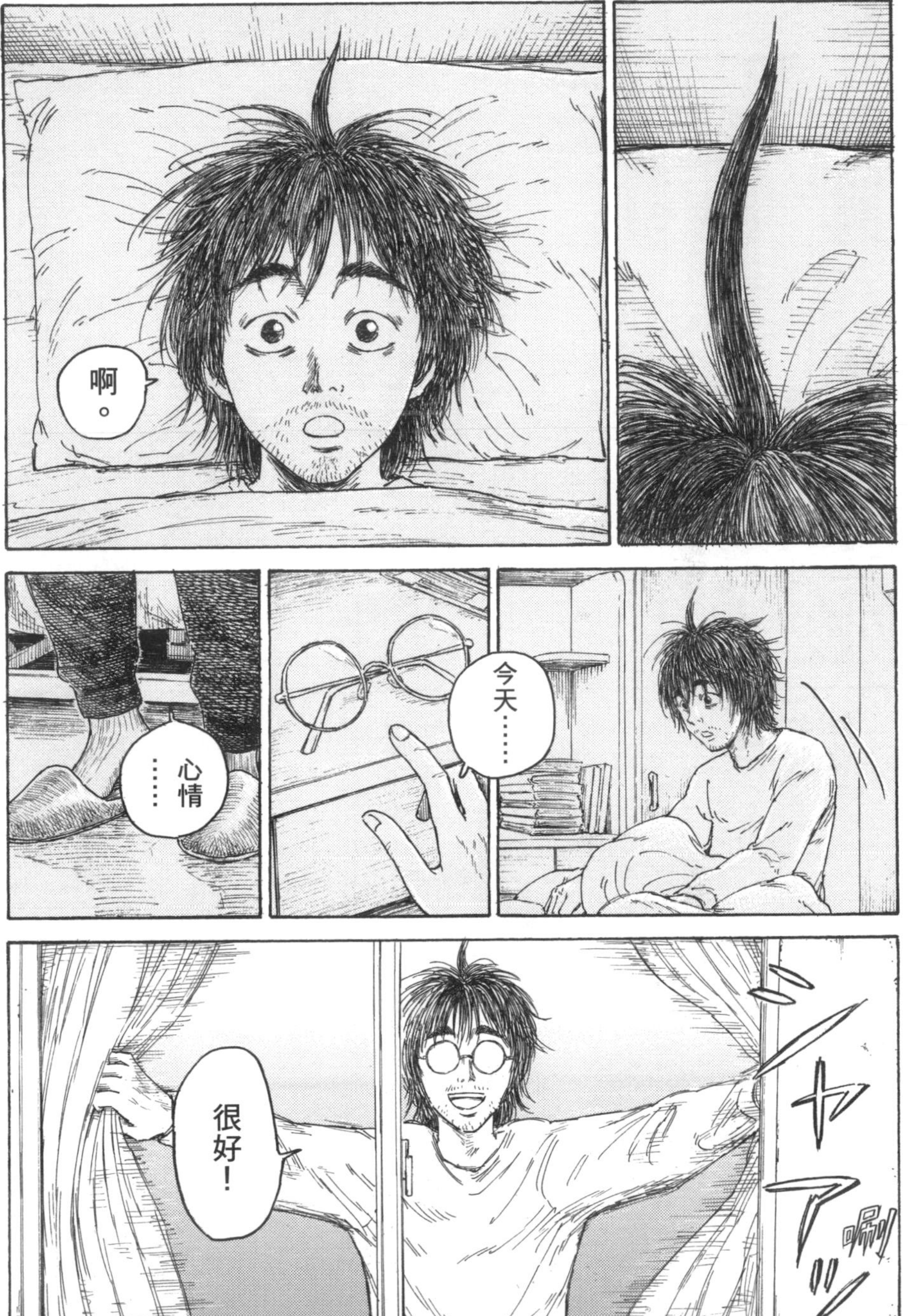
啊。
今天……
心情……
很好！
シャアッ
唰

チチチチ
啾啾
啪啪
垣根小姐，
早上囉！
天氣很
好喔！
……
……
吵死了……

ジャアアアアアア
嘩啦
水……
屋我小姐……早安啊。
嘩啦—
水……這樣很浪費……
啊……不好意思……
嘩啦—
キユッ
嘰
開動了。

咦……
沒有我的飯……
張本先生，
你剛剛吃完了喔。
我的飯……
張本先生，
我說你吃過了啦……
嗡—
我嘔—
フルフル
フル
抖抖
抖抖
哎——鬱悶的感覺一直在……
龍先生，
要喝嗎？

才不要咧。
我已經戒酒了。

不……這是咖啡啊。
好冷。

啊，垣根小姐，妳起床啦。

先前進來的那個人，
應該已經恢復到可以對話的程度了吧？

誰知……我又不是專家……
武良木先生，你自己去確認啊。

……
……好。
火の用心

小心火燭

如何啊？
這裡氣氛還行嗎？

……是的……
比我想得還要……開朗多了……我放心了。

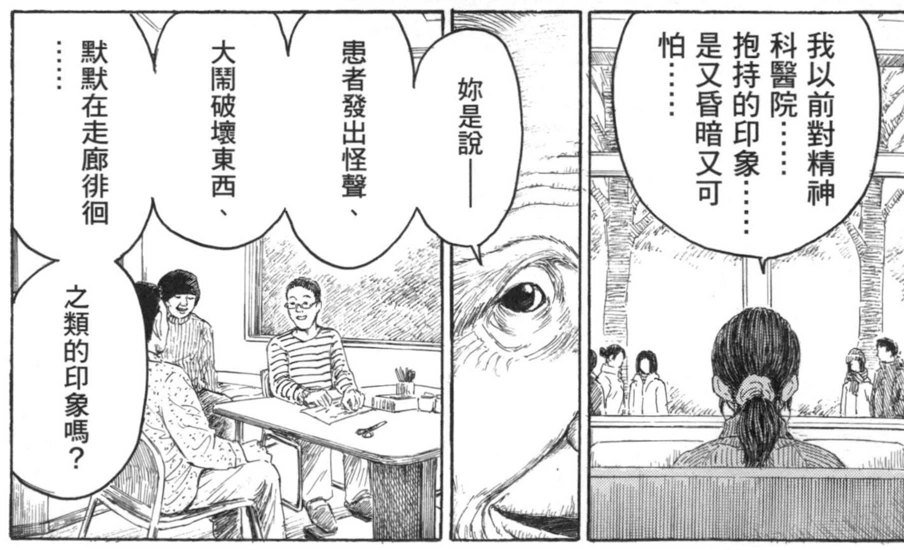

我以前對精神科醫院……抱持的印象……是又昏暗又可怕……
妳是說──
患者發出怪聲、
大鬧破壞東西、
默默在走廊徘徊……
之類的印象嗎？

……
嗯……
還行……

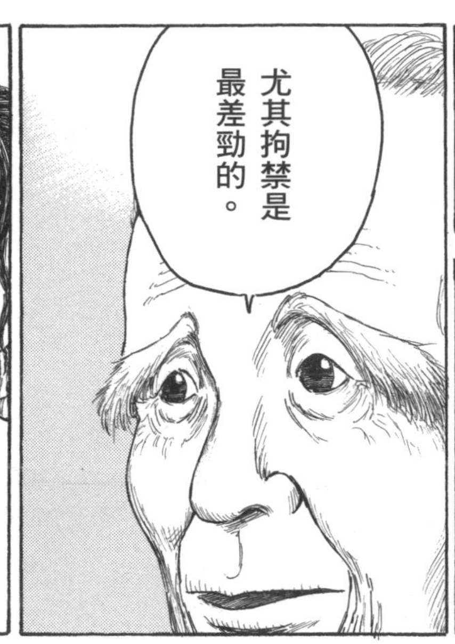
尤其拘禁是
最差勁的。

拘禁……
嗎……

其實，
那類行動，有很
多是醫院的性質
製造出來的。

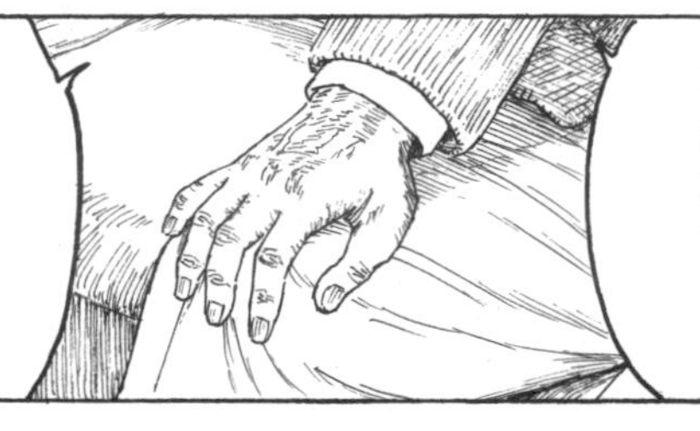
患者被關進上
鎖或有鐵柵的
地方，會大受
打擊，
產生許多壓力，
使得病症的世界
隨之肥大。

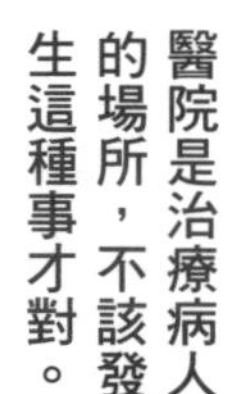
醫院是治療病人
的場所，不該發
生這種事才對。

這醫院徹底去除了
妨礙治療的主因，
所以待起來
很舒服呀。

這裡完全開放，大家都可自由進出，只有狀態非常糟的病患除外。
也可接受外人探望。

沒有超出必要的瑣碎限制，
也沒有嚴格的管理，
病患彼此可有戀愛關係。

如此舒服的醫院，是我在五十年前創立……
這個人接下來還會長篇大論很久喔。

喔——武良木呀。
早安。

你也要聽完再走嗎？我成為精神醫師到退休為止的故事……
不，我已經聽很多次了。

妳好，我是武良木。
啊……我……我是濱野。

濱野小姐，
如果不會對妳造成困擾的話，能否借步說話呢？

咦……
呃……啊，好的……

AMOND P
停泊於橫濱港的鑽石公主號，帶來新型……

是喔～
妳是從鎌倉
來的啊～
那是個好
地方呢～

啊！糟糕，
我有行程要
跑！
那就再見
啦。

打擾了～

那個人也是
患者……
嗎……？
嗯……
是的……

那傢伙十年
來一直進出
這裡喔。
……
喂喂喂，不可
以隨便透露別
人的情報喔。

我要出門
囉～
好的——
路上小心
——

鎌倉嗎～

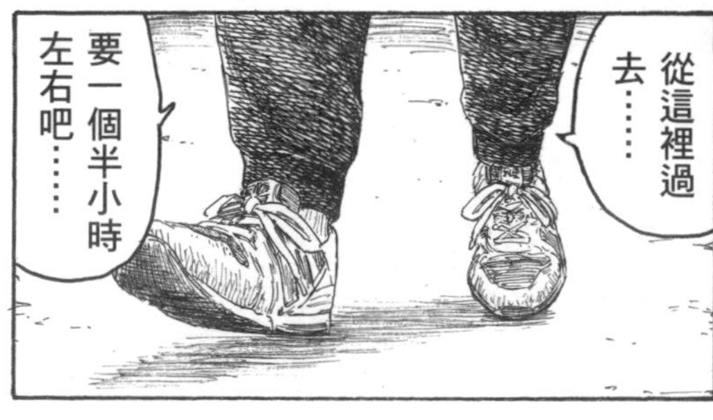
從這裡過
去……
要一個半小時
左右吧……

妖　怪』

『陽光

叭！

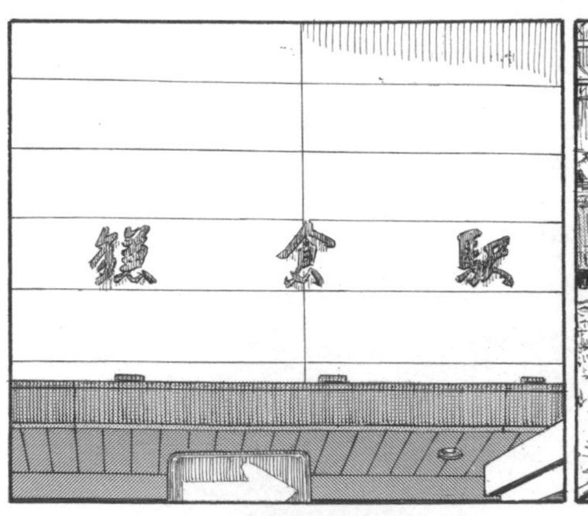
鎌倉駅

結果根本花了二個半小時嘛。
因為是久違的外出……

從哪找起？

鎌倉的範圍可是很大的喔。

交給我吧。

別看我這樣，之前我也算是擔任過要職的。
領導團體我可擅長了。

首先決定要往海邊還是山上找，
投票表決……

……這樣，
行不通啊……

搞半天……我能做的事情還是很有限……
哎呀……屋我小姐……
今天之內找得到嗎……
CIAL

呃，如果不得已，就聯絡醫院說要外宿——

看來是沒那個必要了……

！

是海……
這時期沒什麼人，真好。

走了滿遠的喔。

也就是說，對方是從遠處就能感應到的大魚。

找到了！

是他。

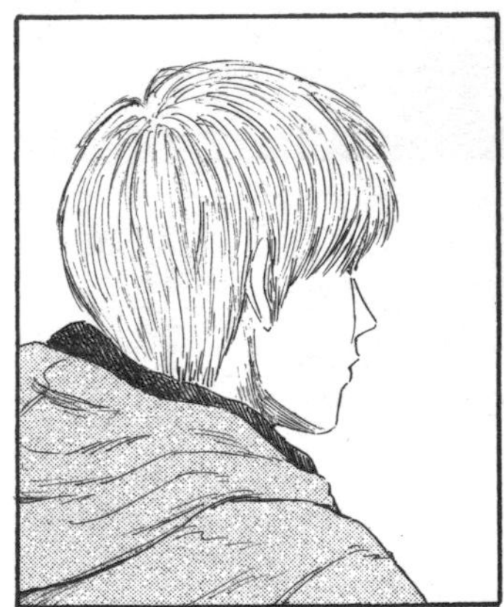

你好！
ガァァ

你現在是不是有什麼煩惱呢？

可不可以稍微聊聊……
スッ
啊

那樣很像不對勁的招攬喔。
……
武良木先生，小心別牽扯太深囉。

我也因為那樣失敗過，
兩敗俱傷……
我不是可疑的人！請聽我說幾句話……！

你察覺到了嗎？

你的身上正散發出大量的「惡氣」。
有些人的精神會漸漸腐壞，
正是因為碰到惡氣！
ピタッ停
所以說，
你也是來抓我的吧。
果然……是這樣嗎…
咦？

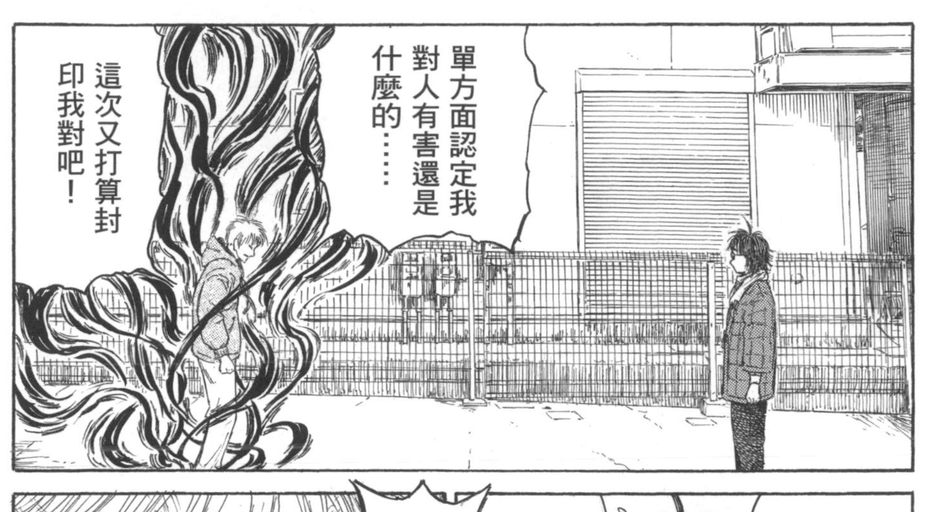
單方面認定我對人有害還是什麼的……
這次又打算封印我對吧！

不，不是的，我只想確認你是在什麼狀態下散發「惡氣」……
完全不會對你採取任何行動……啊，是「惡氣」這個稱呼不妥嗎？
誰信得過你啊啊！

ズオオオオオオ
隆隆隆

オオオン
隆隆

九尾狐

消失吧！

ブワァァッ

膨

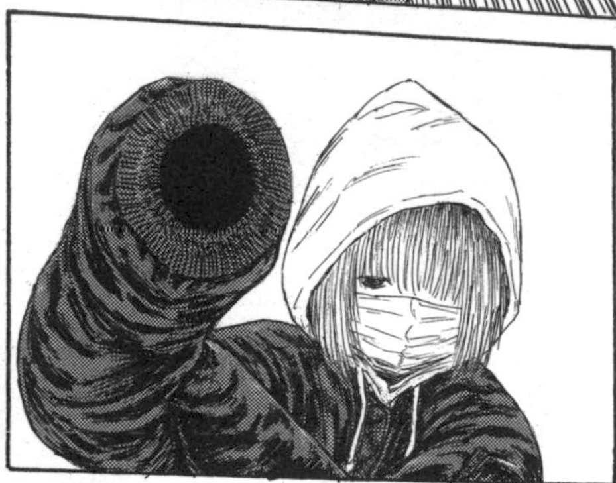

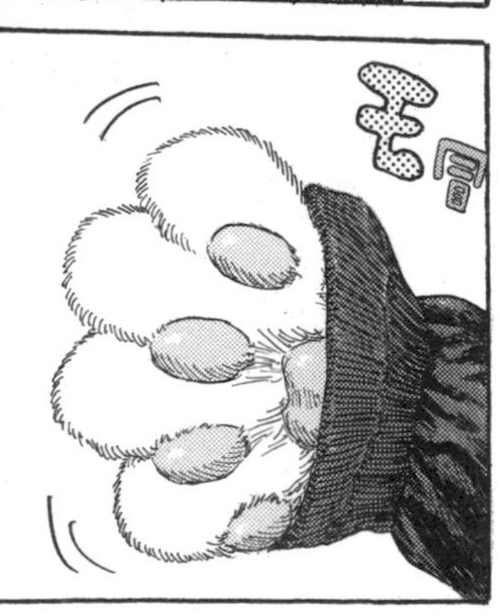

啪嘶
妖貓
謝謝妳，
垣根小姐。

ざわ
ざわ
沙沙
ざわ
沙沙
但請妳不要攻擊他，防禦就好，拜託了！
吼嗚嗚嗚
唰
靠我一個人很硬啦。
果然是大魚啊……

ピチャ
嘩啦
ギュウウウアア
啾
嘩

山姥
燈籠小僧
バリッ喀哩
バリッ喀哩
喳嘰
河童

ゴオオオオオ
轟轟
バシュ
啪咻
チュイン
チュイン
鏘鏘

龍先生！
武良木！
別管他，集中精神做你該做的！
……好！
那個！可以的話，我會想等你停止攻擊，心平氣和地談下去，
不過總之，我就直接說囉。

狐狸先生有什麼希望呢？
你會想做什麼……之類的……
希望……
你說？
我才沒有希望!!
你們打造出狐狸的惡毒形象，
害我至今吃了多少苦頭、嚐到多少絕望，你們會懂嗎？
你被關了很長一段時間吧？
雖然程度跟狐狸先生不能比，不過我也曾經被關進密閉空間……
哇……
你可以講得更詳細一點嗎？
喂！來一下！很不妙喔。
啥啊～～～？
很冷耶。
請你盡情發洩你的不滿！

有個怪人自己在那裡鬼叫啊。

是呀，就算沒有作惡的意思，整天被人懷疑的話，脾氣當然也是會越來越火爆嘛！

保險起見，錄個影吧。

是呀，確實還有一些人會把狐狸和犯罪綁在一起思考無法切割開。很討厭對吧！

真是過份！

碰到那種事，也難怪你無法再相信別人！

我都懂啊……
我因為疾病受到不當對待的時候……
連我的抗議都被連結到疾病、根本沒人要聽的時候……我的心情無比絕望……

既然你一直說懂我、懂我，那我反過來問你：
我到底該怎麼辦才好？
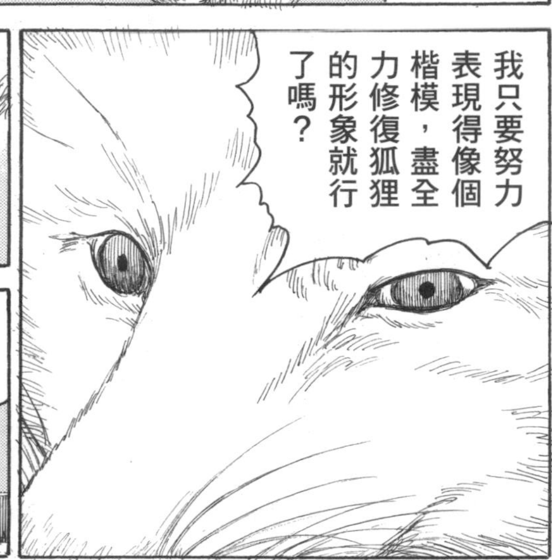
我只要努力表現得像個楷模，盡全力修復狐狸的形象就行了嗎？

噗哈
我累了……

休息一下。
……

什麼修復形象啊，吃屎去吧。

!?

ピタッ定

ピタッ定

你沒做什麼特別邪惡的事，不是什麼大廢物，
所以也沒必須要去做什麼特別善良的事。

就算造成別人的困擾也無妨啊。

⋯⋯⋯⋯
你到底⋯⋯
想做什麼⋯⋯？

我想要心情變得稍微好過一點……

包含在內，這裡的每個人，
都懷抱著各自的生存煎熬。
大家心情都沒整理好，
到現在還是很痛苦。

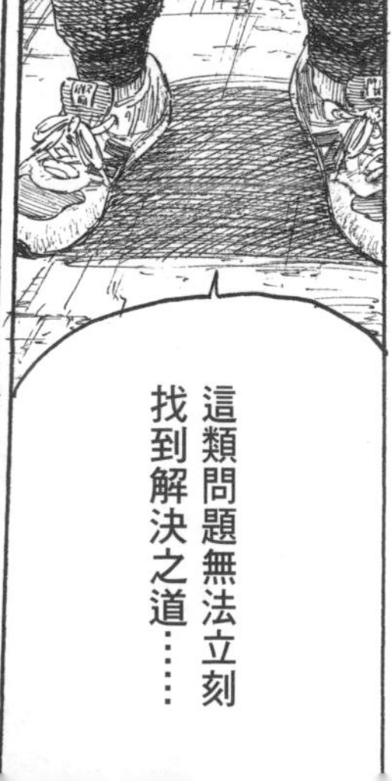
這類問題無法立刻找到解決之道……
如果你願意的話，要不要和我們一起尋找接下來的出路呢？

喂——
ペタッ 啪嗒
ペタッ
ペタッ 啪嗒
大海的力量提升了這傢伙的威力!!

轟轟

ブワァ
膨

！

ドパーン
轟隆ー

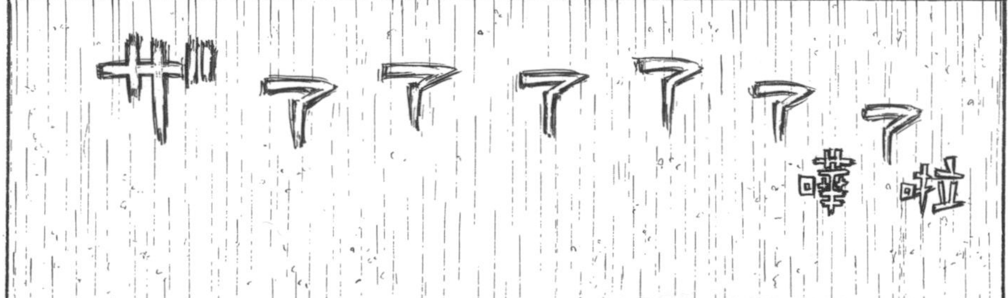

沒……
沒事吧……？
媽……
爸……
對不起啊……
我竟然說你們不是我真正的爸媽……
…………
我的身體還會冒出那個嗎？
啊……
「惡氣」……
總之目前平息下來了呢……

00:07:24

怎麼辦？要報警嗎？
……

不報警也沒差吧？

倒是開始下雨了？

天氣超好喔。

狐狸娶親嗎……
咦？
什麼？

喂……
……

哎，算了。

削除中...
1/1
キャンセル

沙沙沙——

尾崎先生，你喜歡海嗎？

並沒有……特別喜歡……
不過……
這裡可以看到很遠的地方……

波浪起，
嘆息累積，
渣滓之牢籠。
朝夕間，
照射入內：
時節各異的日光。

沙沙沙——
哎～……又搞砸了……
沙沙沙沙……
差不多該回去了吧。
哎……
想到要回去就累呢……
那不然——

哈哈哈哈哈

沙沙ー沙

沙沙ー沙…

首次發表處

〈東京鐮鼬〉
《漫畫Action》2021年3/16號

〈忍耐吧小覺同學〉
「web Action」2021年6/18上線

〈川血〉
「web Action」2021年8/20上線

〈缺貓〉
「web Action」2021年10/8上線

〈峯落〉
「web Action」2022年1/14上線

〈追燈〉
2022年7/1以電子書形式發售

〈陽光妖怪〉
為單行本新畫作品

後記

◉陽光妖怪

這篇是最早畫出分格草稿的作品（原稿則是最後完成）。原本也曾考慮用這構想推出連載，然而，我一來對妖怪題材並不是那麼熟悉，二來又覺得它可能會變成一開場就用掉爆點的漫畫，最後就作罷了。我找編輯商量，提議畫一集份量的故事，然後把這一話放在結尾，結果他催我說，還是去畫連載漫畫吧。所以我一度暫緩了這個計劃。

◉東京鐮鼬

《漫畫Action》問我要不要畫十六—二十頁左右的單回完結漫畫，我於是把原本想用在妖怪漫畫系列的鐮鼬夫婦的故事畫了出來。刊登在雜誌上沒有什麼反應，不過在「web Action」以免費閱覽形式發佈出來之後被非常多人閱讀，成為我開始畫妖怪單回短篇系列的契機。發表一年多後，責編決定要在發佈我作品情報的那個推特帳號貼出〈東京鐮鼬〉，問我要怎麼下標，我讓他加上一個看待作品的角度不太一樣的標語，結果點閱人數又更多了。我一方面開心，另一方面感到非常困惑，因為有人採取無惡意的歧視性解讀，從中獲得樂趣。

◉忍耐吧小覺同學

雖然只是描繪內心裡頭的真實心聲，但我要是把這個老師畫成真的很討人厭的角色就不好笑了，因此我絞盡腦汁地判斷什麼話可以讓他說、什麼話則不能。他到底是好老師還是壞老師？這就交由各位判斷了。

◉川血

從這篇開始，故事越來越嚴肅。構想出〈陽光妖怪〉時，我已經大致設定了妖怪們的成長背景，於是用單回完結短篇的形式一一表現出來。這篇參考的是在某國生活的「外國人或家族源流和外國有關的人們」實際受到的對待。（參考文獻：《Buenos días, Nippon～外國人生活的「另一個日本」～》百折不屈著／LATINA）

◉缺貓

這是當初編排內容時最讓我苦惱的一篇。故事中的角色在〈陽光妖怪〉中只露出一隻手，因此起先我想畫成一篇探討「外貌至上」的故事，但畫得很不順利，最終內容變得和〈陽光妖怪〉有些許重複了。（參考文獻：《無法不傷害自己　給自殘者的復原曙光》松本俊彥／講談社）

◉峯落

以免費閱讀形式發佈時，這一篇的點閱數壓倒性地低。是因為 #MeToo 運動在日本沒什麼擴散，還是因為我的畫法有問題呢？如果是後者，那大概還有救吧……（參考文獻：《她有話要說》茱蒂．坎特／梅根．圖伊著　古屋美登里譯）

◉追燈

今年就是關東大震災後第九十九年了，但就我查詢的範圍而言，至今還沒有漫畫聚焦於當時發生的朝鮮人虐殺（歷史科的教育漫畫還有多少提到）。如果〈追燈〉是著墨於朝鮮人屠殺的第一篇漫畫，那將它畫成「妖怪作品」是妥當的嗎？我為此內心糾結，於是極力將這篇的妖怪畫得很曖昧。我還有另一個內心糾結，想在此明白記下：我希望這篇漫畫成為百年一度的作品，也許這樣才是好事，但「祈禱它不要成為那種作品」的心情也同時存在著。

最後，我由衷感謝雙葉社的劔持先生、設計師岡下先生、允許我引用作品的各位、京極夏彥先生、在本書出版過程中提供協助的所有人。

二〇二二年七月　岡田索雲

《陽光妖怪》中文版後記／導讀

陽光妖怪：走進現實、爭論、尋求解方的人間怪物們

就算想要談的是現實，在作品中剝除掉角色的一點人形，也還是有好處。好比說，想赤裸展現一些難堪的關係時，給那些人套個動物的頭，感覺就不一樣了。一方面就像是在苦藥外頭裹一層糖衣，在觀者與作品間製造一點安全隔閡，讓我們的感受不那麼直接而厭煩；另一方面，就跟一點甜味的映襯能讓苦味更強烈一樣，抽掉一點人形，替換上可愛許多的動物面孔，反而更能襯托出人與人相處的苦處。如今已有不少挖苦諷刺的作品都讓可愛動物人在劇中互相傷害，就是在運用這種好處。

況且，角色少了人形，進入了妖怪或怪獸的領域後，好處也不只有讓外觀更討喜，或讓故事更有空想趣味而已，突破了人形限制後，怪物的外貌、體態、大小、輕重或是超常能力，其實也能更強烈突顯人在現實中的性質差異。不同的物種可以讓族群間的差異更一目瞭然。體型與大小能讓人一眼就看出權力地位的高低。各種超常能力如果妥當安排，也能清楚展現人的特質，甚至是內心的傷痕。這種空想設計同樣也有著上述的安全隔閡，把對真實世界人事物的指涉抹到模糊曖昧，用隱喻避免掉直接攻擊，也就更能大膽突顯出人世間的危險地帶。

岡田索雲的短篇漫畫集《陽光妖怪》，就展現了好幾種以怪物來突顯現實世界的手法。喜歡妖怪或怪獸主題的作者，大可創造一個空想世界讓這些怪物在裡頭活出自己的故事，但岡田索雲顯然是難以割捨地在乎著現實世界，讓筆下的怪物各自以不同的程度和現實交織，使它們紛紛成為了現實的隱喻，甚至是現實的直接代言者。

在與現實交織的拿捏程度上，我會想把《川血》這個以河童社會中不一樣的兒童為主角的故事放在天秤中央。作者並不諱言，這篇漫話參考的就是在某國（參考文獻也不否認就是日本）生活的「外國人」或「家族源流和外國人有關的人」實際受到的對待。故事很正統地，用半魚人與河童各自的外型和習性來突顯差異，讓受困封閉排外社會的主角，在大人服從社會的心口不一以及兒童率性霸凌的縫隙間，尋找著逃脫的破口。

別的故事則是更直接了當地直說實情。例如《峯落》，那已經等同把 Metoo 事件整套搬到另一種虛構巨人族身上，雖然利用了女巨人「正理」不亞於男巨人的壯碩體型，挑動了一下對受害者的刻板柔弱觀感，但除此之外，正理揭發整個事件的方式、使用的話語以及加害者旁觀者等等的反應，幾乎都不出現實中所知的 Metoo 慣例，而這也讓該篇漫畫並沒有太出乎意料的開展，甚至比現實還單調。而《追燈》則讓妖怪從百年前關東大震災後的朝鮮人虐殺事件中誕生，在帶入實情的手法上就細膩許多——主角遭斬首而與妖怪合一後，瞬間跳脫出個人肉身經歷的殘酷，逐漸進入了利用大量文字紀錄所堆砌而成的、一種藉由眾人經驗的吟詠而逐漸成形的集體恐怖，成功地讓敘事力道在後段一口氣爆發。

在天秤的另一頭，怪物們訴說的是更為曖昧的情況。或許是許多人最初接觸到的作品《東京鐮鼬》，可以看做是夫妻間因為原先身分地位與結婚產生的身分地位出現落差，而在婚姻中產生的一場鐮鼬式衝突：先是強行推倒，然後劇烈劃開，然後又用藥撫平，但雙方此後是否如鐮鼬的襲擊般無痛就難說了。

而我個人最欣賞的《忍耐吧小覺同學》，則是在最接近現實的環境中，提出一個超常的情況，來談討更複雜的問題。看著對方雙眼就能讀心的小覺同學（雖然外觀上是妖怪，但從故事來看似乎只是個畫面意象，班上顯然沒人留意）雖然沒遭到同學霸凌，卻也不敢與人說話，直到班導師前來關心，甚至主動提議讓小覺來讀他的心。雖然班導內心不意外地充滿厭煩、傲慢、色欲等不體面的真實念頭，但故事精彩就在於，班導不論相信小覺與否，他始終想讓小覺了解到，人與人的交流是以互相容許而不是互見真心為基礎，並以互不侵犯對方的權利為界限。於是原本有潛力往笑鬧發展的故事，反而產生了「無私」

與「個人權利」兩種價值觀的對抗，也令人質疑起人是否有斷定並批評對方真實意念的正當性，甚至讓原先站在小覺這方的讀者都開始懷疑，小覺聽到的他人真心，會不會就像我們以為在探求的對方真意一樣，只是單方面的幻聽而已。

從直接套用的現實到抽象的觀念思考，《陽光妖怪》始終流露著對現實議題的關注與批評，但也因此在故事的範圍內不得不給出個結尾。然而現實就是難以迎刃而解，好幾個故事也就是以來去如一陣疾風的毀壞或主角的逃離作結，或許這也是當下現實中無可奈何的想法。而在全書最後一篇〈陽光妖怪〉裡，甚至連關注批評本身都遭到了質疑：雖然作者說這篇是全書最早畫出分格草稿的作品，但作為擺在最後的尾聲，讀者卻會看到，不論是前面故事裡出現過的怪物，甚至連這一篇它們要共同救助的九尾狐，全都只是單一名患者對空氣演出的幻覺而已。對於曾經或仍舊關心各種社會議題的人來說，他人的弱勢、困境、痛苦，有多大成分存在於自己的想像中？這未必是作者的本意，但已經伴隨著一篇篇漫畫進入各種議題的讀者，恐怕很難不去煩惱這個問題。

但那也並非全部的結尾。《忍耐吧小覺同學》的最後一幕，是看穿一切的小覺從背後盯著以人權護身的老師，老師則說「我們一起來學習吧」，衝突的想法也許就這麼在日常中持續對抗，並在其中一起學到什麼相處方法。而在《缺貓》這個也像直接挪用現實處境的故事中，如何面對他人的痛苦與困境，答案或許更為簡單：面對別人難以訴說的傷痛，不要把自己的自以為是強加於上，何不繼續陪伴對方，等待他「能用自己的話語來說明，『生存在世的痛苦』有著什麼樣的背景——」

唐澄暐

MANGA 011

陽光妖怪

ようきなやつら

作　　　者　岡田索雲
譯　　　者　黃鴻硯
導　　　讀　唐澄暐
美術／手寫字　林佳瑩
內 頁 排 版　藍天圖物宣字社
校　　　對　魏秋綢
社長暨總編輯　湯皓全
出　　　版　鯨嶼文化有限公司
地　　　址　231 新北市新店區民權路 108-3 號 6 樓
電　　　話　(02) 22181417
傳　　　真　(02) 86672166
電 子 信 箱　balaena.islet@bookrep.com.tw

發　　　行　遠足文化事業股份有限公司【讀書共和國出版集團】
地　　　址　231 新北市新店區民權路 108-2 號 9 樓
電　　　話　(02) 22181417
傳　　　真　(02) 86671065
電 子 信 箱　service@bookrep.com.tw
客 服 專 線　0800-221-029
法 律 顧 問　華洋法律事務所 蘇文生律師
印　　　刷　勁達印刷有限公司
初　　　版　2024 年 1 月

定價 400 元
ISBN 978-626-7243-47-3
EISBN 978-626-7243-48-0（PDF）
EISBN 978-626-7243-49-7（EPUB）

YOKINAYATSURA